臨床・病理
乳癌取扱い規約

General Rules for Clinical and Pathological Recording of Breast Cancer

2025年6月 第19版
June 2025
(The 19th Edition)

編集
日本乳癌学会
Japanese Breast Cancer Society

金原出版株式会社

第19版序

　今回の取扱い規約の改訂は，乳癌を主体とする乳腺疾患の診療において，昨今のグローバル化の潮流を受けたものである。臨床編では，従来「Stage 0・Iを早期乳癌とする」とされてきた定義が見直され，早期乳癌（early breast cancer；EBC）を，切除可能乳癌（Stage 0〜IIIA）と再定義した。その他，腫瘍の占居部位，臨床所見，臨床T因子，ラジオ波焼灼術を含む乳房術式，リンパ節の切除範囲，再建法，治療法，転帰の記載法についても整理が進められた。

　病理編ではWHO分類あるいは国際的な病理報告の標準化を基盤とし，がん患者の転帰改善を目指すInternational Collaboration on Cancer Reporting（ICCR）の分類に可能な限り準拠した。この結果，病理学的記載がより詳細かつ体系的に改訂された。特に，従来の良性と悪性に大別される形態に加え，両者の中間的存在である前駆病変，非浸潤性小葉腫瘍の概念が採用された。また，これまで悪性腫瘍の独立した項目として扱われていたPaget病は，非浸潤癌の範疇に含まれる形となった。さらに乳頭癌に関し，概念がやや難解と思われる被包型乳頭癌，充実乳頭癌については独立組織型とし，非浸潤癌と浸潤癌に分けて詳述された。

　わが国で広く用いられてきた浸潤性乳管癌の3組織型あるいは4組織型分類は，わが国での歴史的概念を残しつつ，国際標準の視点から見直し，浸潤癌の浸潤形態や間質量の特徴，非浸潤癌巣の種類と量で表現する形に移行した。さらに，上記の組織型分類が画像所見との対比に有用であったことから，さらに精緻化されるよう，腫瘍の全貌を把握し，特殊型を含めたすべての乳癌を網羅する肉眼型分類が新たに設けられた。加えて，臨床的・病理的にこれまで曖昧であったTNM分類の解釈も整理され，特にT4についての詳細な注釈を追加している。バイオマーカーについても現状の世界標準に合わせた内容となっている。

　なお，今回の改訂は2022年11月に組織された旧委員会のメンバーで作成した原案を基に，その校正に2024年11月に発足した新委員会が加わり，各委員の多様な視点を尊重しつつ議論を重ねコンセンサスを得ながら進めることで実現した。2年間にわたり十数回を超える会議が開催され，毎回3時間に及ぶ熱い協議を経て完成したものであることを申し添えたい。粘り強く対応いただいた日本乳癌学会事務局の皆様に深謝申し上げる。

　本規約が乳腺診療における日本のプレゼンスを高め，世界と渡り合える基盤となることを期待したい。

2025年5月

日本乳癌学会規約委員会

[2024年11月〜2026年10月]

委員長	山口　　倫	
副委員長	二村　　学	川端　英孝
委　員	杉江　知治（参与）	
	有馬　信之	有賀　智之
	堀本　義哉	鹿股　直樹
	小塚　祐司	黒田　　一
	前田　一郎	宮城　由美
	森谷　鈴子	大迫　　智
	坂谷　貴司	高橋かおる
	吉田　正行	
アドバイザー	津田　　均	

[2022年11月〜2024年10月]

委員長	津田　　均	
副委員長	川端　英孝	杉江　知治
	山口　　倫	
委　員	堀井　理絵	小塚　祐司
	黒田　　一	前田　一郎
	宮城　由美	森谷　卓也
	向井　博文	中島　一彰
	大迫　　智	坂谷　貴司
	高橋かおる	武井　寛幸
	山下　年成	

第18版序

　第18版改訂では，国内外の分類体系との整合性を図った．乳癌取扱い規約内容は，日本乳癌学会が積み重ねてきた実臨床の枠組みそのものであるため，その歴史的経緯を尊重しつつ，一方で，国際的コミュニティにおける読み替え可能性に配慮した．具体的には，すでに発行されているWHO分類（乳腺，第4版，2012年）およびUICC第8版（2017年），また，今後発行予定である領域横断的癌取扱い規約との整合性を図った．結果として病理編の大幅改訂となった．

　臨床編においては"領域"という言葉をリンパ節に使用し，部位は"A〜E区域"と名称を変更した．また，"胸骨傍"を"内胸"リンパ節に変更するとともに術式名の変更を行った．第2部病理編第1章では組織型分類の変更，WHO分類との対応表作成，第2章では組織学的取扱い内容の記載順の変更，病理学的T, N, M分類の記載追加，センチネルリンパ節に関する記載例の表記，第4章ではAllred score，陽性細胞割合や，HER2 in situ hybridization法に関する記述の追加，第5章では記載内容の見直しと図追加を行った．また，最後に切除検体の病理学的記載事項チェックリストを追加した．

　AJCC第8版では，従来の解剖学的分類から機能的分類と新たな方向性が提示されており，今後も国際的動向を注視する必要がある．今回，内因性サブタイプではなく，その要素（ホルモン受容体，HER2，Ki67）の記述にとどめているのは，カテゴリー定義の変化に対応可能な規約を目指したためである．

　本規約が，診療の動的変化から生まれる英知を集約し，次世代の乳癌診療の発展に役立つことを期待する．

　2018年4月

第17版序

　第17版では，センチネルリンパ節生検や乳房再建の普及に伴い，治療の記載方法の見直しを行った．また乳癌のサブタイプ分類の考え方が定着し，免疫染色を用いたホルモン受容体やHER2検査の判定が重要視されるようになったため，今回新たに第2部第4章として取り上げ，その基準を示した．そのほか，RECISTの改訂に伴って第1部第4章を，2009年のUICCの改訂に伴って巻末の付）TNM分類を新しいものに入れ替えた．

　2012年5月

第16版序

　1967年に初版が刊行された乳癌取扱い規約も今回の改訂で第16版を重ねるに至った。これほど頻回に改訂がなされている癌取扱い規約も他に類を見ないが，それだけ乳癌診療のパラダイムシフトが急速に起こっているということにほかならない。ただ従来，主として小委員会での検討事項が順次付加されるという形式を繰り返してきたため，臨床的項目と病理学的項目が混在していることの弊害が目立ちはじめてきた。そこで，今回の改訂では「臨床・病理 乳癌取扱い規約」の原点に立ち返って，臨床編，病理編の2部構成に配列替えをし，従来の内容を章立てしてそのいずれかに振り分けた。

　内容自体の変更点として，まず病理に関係した「乳腺腫瘍の組織学的分類」および「組織学的治療効果の判定基準」の内容が改訂され，それぞれ病理編第1章および第4章に組み込まれた。ただし，これらの項目はすでに改訂されているので，その改訂が本規約に反映されたというのが正しい。むしろ今回新たな改訂点は従来の「臨床的記載法に関する規約」の大幅な見直しである。その中の記述で病理学的項目を病理編に移動したほか，センチネルリンパ節生検や微小転移に関する記載法に触れ，遠隔成績の項目もより時代に即した内容に改変した。また，項目としての「早期乳癌」をはずすなど，わが国の独自性は極力避けることにした。さらに，初版以降ほとんど手が加えられなかった項目については，かなり思い切った削除，改変がなされた。

　以上のように今回の改訂はUICCの2009年改訂を待たずに行われたにもかかわらず，結果的に大きな改訂作業となったが，利用者にとってより使いやすい規約となることを願ってやまない。

2008年9月

第15版序

　この第15版では，UICCのTNM分類が2002年に改訂第6版として発行されたことに沿って当該部分を改訂し，これに併せて全般にわたって内容そのものの取捨選択，文言や図譜の見直しを行った。従来からわが国と欧米とではリンパ節の呼称に一部食い違いがあった（apexあるいはinfraclavicular）が，今回の改訂では臨床的便を重んじて従来との整合性を図ったので，欧文での執筆時には注意されたい。治癒手術に関わる記載は全面的に削除したが，これは乳癌が初期から既に全身病であるとの現在の理解に基づいた取扱いとしたものである。さらに，リンパ節転移陰性症例での最も有用な予後因子である「悪性度」の判定について例示することとし，図譜とともに第1部の末尾に加えた。先に別冊として発行済みである『乳腺における細胞診および針生検の報告様式ガイドライン』は第2部として合冊して読者の便に供することとした。一方，旧版の第3部に当たる「治療効果判定基準」を，Response Evaluation Criteria in Solid Tumors (RECIST) Guidelineに準じて全面的に改訂した。

　今回の改訂は結果的に大幅となり，「取扱い規約」自体が大部となったが，センチネルリンパ節生検の普及とpTNM分類の採用，5年毎と見込まれるUICCの次回改訂への対応など，今後も引き続き検討を進めねばならない。

2004年6月

第14版序

　本第14版では，懸案であったTNM分類の改訂を行ってUICCのそれとの整合性を図り，第1部内の関連する各部分の文言を訂正した。また，図4にも改訂を加えた。さらに，Tnm分類とtnm分類は共に廃止し，本規約から削除したが，このことは腫瘍径と転移リンパ節個数によって予後を解析することの有用性自体を否定するものではない。この改訂によって，最近国際的な発表の場でしばしば問題になっていた日本独自の病期分類に対する疑義が払拭されることが期待される。

　本規約の第4部「乳癌の組織学的効果判定基準」の英訳が，携わった小委員の名前で間もなく機関誌『Breast Cancer』に掲載される予定である。欧文論文作成時に参考にされたい。

　2000年9月

第13版序

　本第13版では，化学療法，内分泌療法または放射線治療を行ったのちの「乳癌の組織学的効果判定基準」を新たに第4部として追加した。術前補助療法による手術適応の拡大，ことに乳房温存療法の適応拡大が試みられている昨今，組織学的効果判定を統一することの必要性に応じて本基準を定めた。

　また，UICCのTNM分類が1987年以来10年ぶりに改訂されたので，その5th edition (1997) を巻尾に付記した。

　1998年8月

第12版序

　1992年，乳癌研究会は日本乳癌学会へと発展的移行を遂げた。したがって規約改訂作業もこの第12版からは日本乳癌学会の規約委員会に引き継がれた。本第12版では，新生学会に慶賀の意を表して表紙のデザインを一新した。

　本第12版での改訂はおもに2箇所である。第1部では，近年の乳癌手術術式の縮小化，ことに乳房温存療法の普及に対応するための改訂を行った。第3部では，進行・再発乳癌治療におけるPDの定義に改訂を加え，一旦有効後のPD判定と奏効期間の算定を具体的に規定した。また本版では，東京医科歯科大学の佐藤達夫教授による乳腺所属リンパ節左右図の掲載，癌研究会研究所病理部の坂元吾偉博士による第2部組織学的分類のカラー写真化が行われた。

　1996年6月

第11版序

　本第11版では，第3部「進行・再発乳癌患者における治療効果の判定基準」について改訂を加えた。この基準は1988年の第9版以降広く一般に用いられているが，放射線療法についても利用できるように，ここ数年にわたって放射線科関係の委員を中心に検討を続けてきた内容によって追加・改訂が加えられている。なお，この第11版の発刊を最後として，本委員会の母体である乳癌研究会は日本乳癌学会に移行することとなる。したがって次版からは日本乳癌学会の規約委員会に引き継がれる予定である。

　1992年7月

第 10 版序

　本第10版では，2つの項目について修正が加えられている．第1は手術の項目で，これまでなかった乳房の部分の切除に関する名称と記載法を加えた．第2はTNM分類について，現今余り用いられない旧分類を削除して1978年確定分類のみとし，日本修正案として病期0を加えた．
　1989年7月

第 9 版序

　本第9版では，2つの項目について改訂を加えた．その第1は，「早期乳癌」の定義についてで，これは現状において通用語として臨床的に用いられる場合の1つの水準を示したものである．第2の点は，近年広く一般に用いられるにいたった「進行・再発乳癌患者における治療効果の判定基準」についてで，これは1982年に制定されたものを最近改訂し，第3部として本規約に加えた．
　1988年2月

第 8 版序

　第8版ではリンパ節の分類およびその付図が大きく改訂された．これについては2年半にわたって仔細に検討され，また東京医科歯科大学解剖学の佐藤達夫教授の御指導を戴いた．本版のカラー図では背景の解剖図についても細かい説明が加えられ，より正確な，より見易い図となるよう配慮されている．
　1986年2月

第 7 版序

　本第7版は第2部「乳癌の組織学的分類」を全面的に改訂し，乳癌のみならず非上皮性腫瘍，良性病変等も入れ，「乳腺腫瘍の組織学的分類」とした．
　1971年「乳癌の組織学的分類」を制定してから10年余を経過し，その経験を生かし訂正すべき点を訂正した．また一方，WHOの乳腺腫瘍分類が改訂されたのでこれに対応することができるように配慮した．
　1984年7月

第 6 版序

　本第6版では再発に関する定義ならびに分類の項を加えた．これはここ数年にわたって討議を重ねてきたもので，従来必ずしも一定していなかった点を明確化することに努めた．なおその他に多少の字句の訂正を加えた．
　1982年2月

第5版序

　本版では従来の生存率の算出方式に関して根本的の改訂を加えた．すなわち，粗生存率（直接法，累積法），相対生存率などの算出方式を導入し，また健存率なる概念を新たに採用し，治療成績の判定をより正確なものとするよう試みた．さらに病期分類については，新TNM分類が第4版より採択されているが，今回UICCにより確定されたのを機会に，あわせてその全文を掲載することとした．

　1979年7月

第4版序

　本乳癌取扱い規約に含まれるTNM病期分類について，1972年にUICCから新案が提示され，1975年7月26日の規約委員会において正式に採択されることとなった．そこで本版ではこれが加えられ，またリンパ節の分類について，特殊リンパ節の一部に多少の改訂がなされた．

　1976年4月

第2版序

　1967年6月乳癌研究会は臨床部門における乳癌取扱い規約（案）を発表し，その後検討を重ねた結果，大体において意見がまとまったので，ここに（案）を削除することにした．また本研究会は当時臨床家に有用な乳癌の組織学的分類の作成を本会の病理学者に依嘱していたが，このたびこれも一応出来上った．こうして両者を併せて，臨床・病理乳癌取扱い規約として出版することになったが，今後必要に応じて改訂したいと思っている．

　1971年3月

初版序

　乳癌の治療成績に関する多数の報告を比較する場合，それが一定の基準の下に記載されたものでないと，比較が困難であり，時には無意味となる．われわれは，この一定の基準を設定するために，乳癌の臨床症状，手術所見および遠隔成績などの記載法を統一すべく，討議を重ねてここに一応の案を作成した．また，乳癌の予後を推測し，ひいては治療方針確立に資する目的で，UICCのTNM基準による臨床病期分類が定められ，実地に試用されているが，これをさらに理想的なものにするための参考案をも作成してみた．しかし，なお未決定の問題が残されているので，これは今後さらに検討された上で，正式の規約が完成されるべきものと思っている．

　1967年6月

　　　乳癌研究会（会長　久留　　勝）
　　　乳癌規約委員会

天晶　武雄	藤森　正雄（委員長）	泉雄　　勝
陣内傳之助	梶谷　　鐶	木村　忠司
久野敬二郎	桑原　　悟	間島　　進
槇　　哲夫	増田　強三	村上　忠重
大森　幸夫	堺　　哲郎	妹尾　亘明
島田　信勝	渡辺　　弘	（ABC順）

目次

乳癌取扱い規約 第19版

第1部　臨床編

第1章　腫瘍の臨床的記載法　2
1. 腫瘍占居部位　2
2. 腫瘍の大きさ　2
3. 腫瘍の性状　2
4. 臨床所見　2
5. 臨床病期（Stage）分類　3
6. 早期乳癌　6

第2章　治療の記載法　8
1. 手術　8
2. 手術以外の治療法　9

第3章　治療症例数および転帰の記載法　11
1. 治療症例数　11
2. 再発　11
3. 遠隔成績　12

第4章　臨床的治療効果の判定基準　13
1. 効果判定の目的　13
2. 治療前（ベースライン）における腫瘍病変の測定可能性　14
3. 測定法ごとの詳細　15
4. 腫瘍縮小効果の判定　16
5. 最良総合効果　18
6. 再評価の頻度　20
7. 確定のための測定/奏効期間　20
8. 効果や増悪に関する第三者による再判定　22
9. 最良総合効果に関する結果の報告　22

第2部　病理編

第1章　乳腺腫瘍の組織学的分類　24
Ⅰ. 上皮性腫瘍　27
Ⅱ. 線維上皮性腫瘍　34
Ⅲ. 軟部腫瘍　35
Ⅳ. リンパ腫および造血器腫瘍　37
Ⅴ. 転移性腫瘍　37
Ⅵ. その他　37
［WHO組織型分類と取扱い規約分類との対比表］　70

第2章　病理標本の取扱いと記載法　73
1. 切除標本の大きさ　73
2. 切除標本に対する割の入れ方　73

3. 組織の固定　　74
　　　4. 肉眼型分類　　74
　　　5. 病理学的病期分類　　74
　　　6. 断端の評価　　80
　　　7. 浸潤形態と間質量　　80
　　　8. 非浸潤癌巣の種類と量　　80
　　　9. 脈管侵襲の有無　　81
　　　10. 浸潤癌の組織学的波及度　　82
　　　11. 病理学的グレード分類　　82
　第3章　細胞診および針生検の報告様式　　86
　　　1. 細胞診　　86
　　　2. 針生検　　93
　第4章　バイオマーカー検索と判定基準　　97
　　　1. 検体の取扱い　　97
　　　2. ホルモン受容体（ER，PgR）　　97
　　　3. HER2　　100
　　　　3-1. HER2陽性/陰性の判定　　100
　　　　3-2. いわゆるHER2低発現の判定　　103
　　　4. PD-L1　　103
　　　5. Ki67　　105
　　　6. 腫瘍浸潤リンパ球（TILs）　　105
　　　付表　表1. 乳癌においてゲノム異常が認められる主な遺伝子　　108
　　　　　　表2. 代表的な遺伝性乳癌の主な原因遺伝子　　109
　第5章　組織学的治療効果の判定基準　　110
　　　1. 日本乳癌学会の治療効果判定方法　　110
　　　2. 病理学的完全奏効（pCR）　　112
　　　3. 遺残癌による病期分類（ypTNM分類）　　112
　付．切除検体の病理学的記載事項（チェックリスト）　　118

資　料　TNM分類（UICC，第8版，2017）　　120
索　引　　127

第1部
臨床編

第1章　腫瘍の臨床的記載法

1．腫瘍占居部位

a. 右側，左側の別
b. 乳房内局在
   乳房を下記のように区分する（ICD コード/UICC の Anatomical Subsites）。
   A：内上部（C50.2/Upper-inner quadrant）
   B：内下部（C50.3/Lower-inner quadrant）
   C：外上部（C50.4/Upper-outer quadrant）
   D：外下部（C50.5/Lower-outer quadrant）
   C'：腋窩尾部（C50.6/Axillary tail）
   E：中央部（C50.1/Central portion）
   　　乳頭乳輪の下に位置する乳房中央部
   E'：乳頭部および乳輪（C50.0/Nipple）
   　　乳頭乳輪部の皮膚

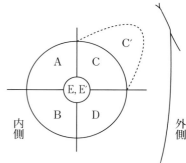

腫瘍の局在を A〜E の略号（日本の取扱い規約で以前から用いられている）をもって表すことができる。2つ以上の部位にわたるものは，より多く占める部位から順に記載する。
　注：異所性乳腺より発生したものは別に記載する。

2．腫瘍の大きさ

腫瘍の最大径，ならびにそれと直角方向に交わる径を mm 単位で記載する。

3．腫瘍の性状

腫瘍の形（球形，卵形，不整形など），硬度，境界，表面の性状などを記載する。

4．臨床所見

a. 乳房の皮膚および皮下組織
   1）変化なし
   2）えくぼ徴候（dimpling sign），陥凹（delle）
   　　えくぼ徴候は視診では異常を認めず，指で皮膚を寄せると陥凹が出現する場合をいう。陥凹は視診で常に皮膚の陥凹を認める場合をいう。
   3）皮膚固定
   4）皮膚の発赤またはその他の変色
   　　腫瘍の範囲内か，それ以外への広がりを示すかどうかを記載する。びまん性の場合

は炎症性乳癌（T4d）の1つの所見となる。

　下記5）以降は皮膚のT4所見となる。
　5）浮腫（橙皮状皮膚：peau d'orange を含む）
　　　4）と同様に，その範囲を記載する。
　6）潰瘍（皮膚が欠損して病変が露出した状態）
　7）衛星皮膚結節
b．乳　頭
　1）乳頭陥凹
　2）乳頭部の湿疹，びらん
　3）異常乳頭分泌
　　その有無と性状を記載する。
c．大胸筋
　1）固定なし
　2）固定あり
d．胸　壁
　1）固定なし
　2）固定あり：T4の所見となる。
　　注：ここでいう胸壁は，肋骨，肋間筋および前鋸筋を指し，胸筋は含まない。
e．領域リンパ節
　触診により，大きさ，硬さ，数，リンパ節の癒合または周囲組織への固定などについて記載する。

記載例：右CED，35×30 mm，不整形，硬，境界明瞭，表面不整，dimpling sign なし，
　　　　delle なし

5．臨床病期（Stage）分類

　本規約は UICC TNM 分類 第8版（120頁，資料を参照）との整合性を重視したが，

相違点として，腋窩リンパ節レベルIIIと鎖骨下リンパ節を区別することなくレベルIIIの名称で統一している（本規約第18版と同様）。

臨床所見はc，病理所見はpをTNMの前に記載する。集学的治療（術前化学療法が多い）中あるいは後の評価には"y"の接頭語をつけて，臨床所見はyc，病理所見はypをTNMの前に記載する。臨床的治療効果の判定基準に関する詳細は第1部第4章（13頁）の記載を参照すること。

a. 臨床T因子：原発巣[注1)2)]

	大きさ (mm)	胸壁固定[注3)]	皮膚の浮腫，潰瘍，衛星皮膚結節
TX	評価不可能		
Tis	非浸潤癌あるいはPaget病[注4)]		
T0	原発巣を認めず[注5)]		
T1[注6)]	≦20	−	−
T2	20＜ ≦50	−	−
T3	50＜	−	−
T4[注7)] a	大きさを問わず	＋	−
T4[注7)] b	大きさを問わず	−	＋
T4[注7)] c	大きさを問わず	＋	＋
T4[注7)] d	炎症性乳癌[注8)]		

注1：Tの大きさは原発巣の最大浸潤径を想定しており，視触診，画像診断，針生検を用いて総合的に判定する。乳管内成分を多く含む癌で，触診径と画像による浸潤径との間に乖離がみられる場合は画像による浸潤径を優先する。浸潤巣を想定して穿刺した針生検の結果が乳管内病変であった場合には，画像を見直して浸潤径を再検討する。

注2：乳腺内に多発する腫瘍の場合は最も大きいTを用いて評価する。

注3：胸壁とは，肋骨，肋間筋および前鋸筋を指し，胸筋は含まない。

注4：Paget病のほとんどはTisに分類される。まれに乳頭・乳輪部の真皮に微小浸潤もしくはそれを越える浸潤を伴うものがあり，その場合は浸潤径に応じたT分類を採用する（第2部第1章，30頁参照）。

注5：視触診，画像診断で原発巣を確認できない場合。腋窩リンパ節転移で発見され乳房内に原発巣を認めない潜在性乳癌などがこれに相当する。

注6：mi（≦1 mm），a（1 mm＜ ≦5 mm），b（5 mm＜ ≦10 mm），c（10 mm＜ ≦20 mm）に亜分類する。

注7：真皮への浸潤のみではT4としない。T4b〜T4d以外の皮膚のくぼみ，乳頭陥没，その他の皮膚変化は，T1，T2またはT3で発生してもT分類には影響しない。

注8：炎症性乳癌は，皮膚のびまん性発赤，浮腫，硬結を特徴とし，その下に明らかな腫瘤を認めないことが多い。腫瘤の増大，進展に伴う局所的な皮膚の発赤や浮腫を示す場合はこれに含めない。

b. 臨床 N 因子：領域リンパ節[注1]

| | 同側腋窩リンパ節[注2] レベルⅠ,Ⅱ | | 内胸リンパ節 | 同側腋窩リンパ節 レベルⅢ | 同側鎖骨上リンパ節 |
	可動	周囲組織への固定あるいはリンパ節癒合			
NX	評価不可能				
N0	−	−	−	−	−
N1	＋	−	−	−	−
N2 a	−	＋	−	−	−
b	−	−	＋	−	−
N3 a	＋／−	＋／−	＋／−	＋	−
b	＋ または ＋		＋	−	−
c	＋／−	＋／−	＋／−	＋／−	＋

注1：リンパ節転移の有無は触診，画像診断，細胞診や針生検を用いて総合的に判定する．画像で転移が疑われても細胞診や針生検で陰性の場合には，臨床的な総合判断で N0 としてもよい．

注2：乳房内リンパ節はレベルⅠに分類される．

［領域リンパ節の名称とレベル：7 頁，図参照］

1) 腋窩リンパ節（Ax）

　　レベルⅠ，Ⅱ，Ⅲに分ける．

　　レベルⅠ：小胸筋外縁より外側のリンパ節．

　　レベルⅡ：小胸筋背側および胸筋間（Rotter）のリンパ節．

　　レベルⅢ：小胸筋内縁より内側のリンパ節．

2) 内胸リンパ節（Im）

　　第何肋間かがわかる場合には，Im の次に（　）で数字を記載する．

　　　例：第 2 肋間の内胸リンパ節　Im（2）

3) 鎖骨上リンパ節（Sc）

c. 臨床 M 因子：遠隔転移

　M0　遠隔転移なし

　M1　遠隔転移あり

　　注：転移を認めた臓器は UICC TNM 分類に準じて 3 文字コードで別個に記載する．

　　　肺（PUL），骨（OSS），肝（HEP），脳（BRA），遠隔リンパ節（LYM），骨髄（MAR），胸膜（PLE），腹膜（PER），副腎（ADR），皮膚（SKI），その他（OTH）

　　　記載例：M1（OSS）

d. 臨床病期分類表

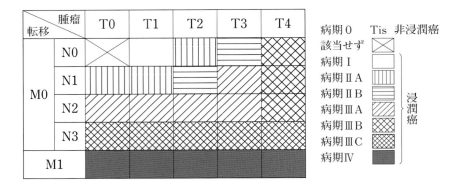

Stage 分類表（UICC 第 8 版）

Stage 0	Tis	N0	M0
Stage ⅠA	T1*	N0	M0
Stage ⅠB	T0, T1	N1mi	M0
Stage ⅡA	T0, T1	N1	M0
	T2	N0	M0
Stage ⅡB	T2	N1	M0
	T3	N0	M0
Stage ⅢA	T0, T1, T2	N2	M0
	T3	N1, N2	M0
Stage ⅢB	T4	N0, N1, N2	M0
Stage ⅢC	Any T	N3	M0
Stage Ⅳ	Any T	Any N	M1

＊T1 は T1mi を含む．

6．早期乳癌

早期乳癌（early breast cancer；EBC）は，切除可能乳癌（Stage 0〜ⅢA）を指す．

注：これまでの規約では，「Stage 0・Ⅰを早期乳癌とする」と定義していた．これは，検診等における「早期発見」の概念には適していると思われるが，日本独自の定義である．本規約では，国際的な臨床試験や，乳癌診療ガイドラインとの整合性を考慮し，上記のように定義する（乳癌診療ガイドライン 2022 年版，治療編総説　Ⅰ．用語の定義　参照）．

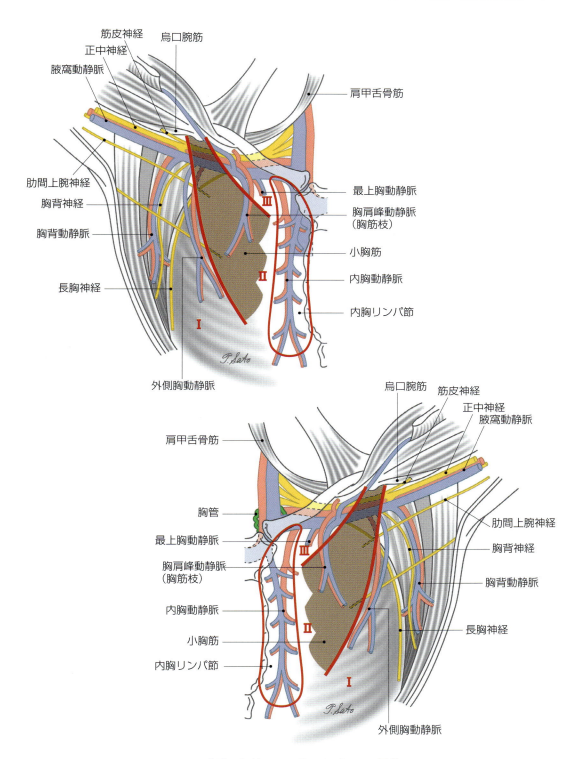

図　乳腺の領域リンパ節およびレベル区分
(佐藤達夫原図，日本癌治療学会編：日本癌治療学会リンパ節規約，金原出版，2002より一部改変)

第 2 章　治療の記載法

1. 手　術

　手術は①乳房（皮膚・乳頭）の術式，②リンパ節の切除範囲，③再建の有無を組み合わせることで，手術全体を表記することとする。筋肉を合併切除した場合には，その旨併記する。術式を記載する際には，下記の略号を用いて表記することが望ましい。

① 乳房（皮膚・乳頭）の術式

乳房（皮膚・乳頭）の術式	英語表記	略号
腫瘍摘出術 注1)	tumorectomy	Tm
乳房部分切除術 注2)	partial mastectomy/lumpectomy	Bp
乳房全切除術 注3)	total mastectomy	Bt
乳管腺葉区域切除術 注4)	microdochectomy	Md
皮膚温存乳房全切除術 注5)	skin sparing mastectomy	Bt（SSM）
乳頭温存乳房全切除術 注6)	nipple sparing mastectomy	Bt（NSM）
ラジオ波焼灼術 注7)	radiofrequency ablation	RFA

注1：診断のために摘出生検を行った結果，乳癌で，何らかの理由で追加切除がされていないケースや，高齢者が合併症により局所麻酔で腫瘍のみ摘出したようなケースが該当する。
注2：癌の進展範囲と考えられる部位から一定の正常組織をつけて切除した場合。
注3：大胸筋（Mj），小胸筋（Mn）を合併切除した際には，Bt＋Mn＋Mj のように記載する。
注4：乳頭分泌を認める場合に，乳管と腺葉を含めて切除する術式。
注5：乳頭・乳輪は切除するが皮膚は温存する術式で，同時再建が原則の手術である。腫瘍直上の皮膚を含めて紡錘状に切除する Bt とは異なる。
注6：乳頭・乳輪および皮膚を温存して皮下の乳腺組織を全切除する術式で，同時再建が原則の手術である。
注7：体表面から乳房内病変に対して画像ガイド下にラジオ波電極針を穿刺し，病変にラジオ波による焼灼を行う手技。

② リンパ節の切除範囲

リンパ節の切除範囲	英語表記	略号
腋窩リンパ節郭清 注1)2)（レベルⅠまで），（Ⅱまで），（Ⅲまで）	axillary lymph node dissection	Ax（Ⅰ），Ax（Ⅱ），Ax（Ⅲ）
腋窩リンパ節サンプリング	axillary lymph node sampling	AxS
センチネルリンパ節生検（腋窩）	sentinel lymph node biopsy	SN
センチネルリンパ節生検（内胸）注3)		SN（Im）

注1：郭清範囲を（ ）で記載する。再発症例などでレベルⅡやⅢを単独で郭清した場合には，その旨を記載する。

注2:Rotterリンパ節は郭清しない場合でも「レベルⅡまで郭清,Ax(Ⅱ)」としてよい。
注3:その他の部位(対側腋窩など)にセンチネルリンパ節があった場合には,( )内に部位を記載する。

(付記)

　cN+→ycN0の症例に対して腋窩郭清を省略するために,以下のような手法が提唱されている。ただし,実際の手技についてはまだ標準化しておらず,データも不十分であり,さらなる研究成果が待たれる。

・Targeted axillary dissection(TAD):最初に転移があったと思われるリンパ節を画像ガイド下のクリップ留置やタトゥーなどでマークして,これを手術時に採取する手法
・Tailored axillary surgery(TAS):偽陰性を限りなく少なくすることを目的に,TAD,センチネルリンパ節生検,サンプリングなどを複合的に行い,元来転移のあったリンパ節を含めて切除する腋窩縮小手術

③ 再建の有無

再建を行った場合には,その術式を下記のように記載する。

再建方法	英語表記	略号
組織拡張器	tissue expander	TE
インプラント	silicon breast implant	SBI
広背筋皮弁	latissimus dorsi myocutaneous flap	LD
腹直筋皮弁(有茎)	pedicled transvers rectus abdominis myocutaneous flap	pTRAM
腹直筋皮弁(遊離)	free transvers rectus abdominis myocutaneous flap	fTRAM
深下腹壁動脈穿通枝皮弁	deep inferior epigastric perforator flap	DIEP
大腿深動脈穿通枝皮弁	profunda artery perforator flap	PAP
その他		OTH( )[注]

注:その他の方法で再建を行った場合にはOTH( )と表記し,括弧内に再建方法を記入する。

[具体的な術式の記載法]

例① 乳房部分切除術+センチネルリンパ節生検を施行して転移陰性であった:Bp+SN

例② 乳房全切除術+センチネルリンパ節生検を施行して転移陽性であったため,レベルⅠ,Ⅱまで腋窩郭清を施行した:Bt+SN→Ax(Ⅱ)

例③ 皮膚温存乳房全切除術+センチネルリンパ節生検を施行して転移陰性で,組織拡張器(tissue expander)を挿入した:Bt(SSM)+SN+TE

2．手術以外の治療法

a. 手術との併用

1) 術前治療
2) 術後治療

3）単独治療（手術なし）

b. 治療内容

1）放射線療法

a）照射部位

照射部位の記載は，下記に示した記号の組合せをもってする。

| 全乳房 Bt | 腋窩リンパ節 Ax | 内胸リンパ節 Im | 鎖骨上リンパ節 Sc | 胸壁 Cw | 腫瘍床 Tb |

b）照射条件

照射部位ごとに以下の照射条件を記載する。

(1) 線源・エネルギー^{注)}

(2) 照射法

(3) 総線量・分割・照射期間（　Gy／　回／　日，　Gy／　回／　週）

(4) 照射野・照射法変更の有無

有りの場合，上記(1)〜(3)と照射範囲を記載する。

注：X線，電子線の場合はエネルギーを記載

2）薬物療法

a）内分泌療法

b）化学療法

c）分子標的治療

d）免疫療法^{注)}

注：免疫療法は，他の薬物療法とは作用機序が異なり，手術，放射線療法，化学療法とともにがん治療の4本柱と考えられている。ただし，現在乳癌治療として用いられる免疫療法は免疫チェックポイント阻害薬であり，実際には化学療法などと併用して薬物による治療の一環として行われているため，薬物療法の項目に含めた。

3）その他の治療

第3章　治療症例数および転帰の記載法

1．治療症例数

その年に当該機関で最初に治療したものをその対象とする。両側乳癌の場合には個々に集計する。

2．再　発

再発とは，組織学的に確認された乳癌が治療（手術，放射線療法，薬物療法など）により，いったん臨床的に消失したのち再び出現することをいう。ただし，別の原発癌が新たに発生した場合は除く。

再発はその部位により次のごとく分類する。

a) 局所　①温存乳房，②患側胸壁[注1]
b) 領域[注2]
c) 遠隔

なお，上記の分類に加えて，その部位[注3]ならびに再発年月日[注4]について記載する。

注1：ここでいう局所とは，頭側は鎖骨下縁，尾側は肋骨弓，内側は胸骨正中線，外側は広背筋前縁をいう。境界部付近で判定困難なときには局所に入れる。
注2：同側の腋窩（レベルⅠ，Ⅱ，Ⅲ），内胸，鎖骨上リンパ節からなる。
注3：遠隔臓器についてはTNM分類M因子の記載（5頁注参照）に準じた記号を用いる。
注4：医師が再発を確認した日（検査日など）と定義する。

3．遠隔成績

遠隔成績の算出にあたっては，対象とした母集団の種類を明記すること。

代表的な生存期間について，起算日，イベント，打ち切りを示す。

	起算日	イベント	打ち切り
全生存期間[注1] (overall survival；OS)	登録日または手術日など	全死亡	生存 (最終生存確認日)
無再発生存期間 (relapse-free survival；RFS)	登録日または手術日など	全死亡 乳癌の再発	再発なく生存 (最終無再発生存確認日 または最終生存確認日)
無病生存期間[注2] (disease-free survival；DFS)	登録日または手術日など	全死亡 再発 二次癌[注3]	再発なく二次癌もなく生存 (最終無病生存確認日 または最終生存確認日)
無増悪生存期間 (progression-free survival；PFS)	登録日または治療開始日など	全死亡 増悪	増悪なく生存 (最終無増悪生存確認日)
無浸潤疾患生存期間[注4] (invasive disease-free survival；IDFS)	登録日など	全死亡 浸潤性病変の出現	浸潤性病変の出現なく生存
無イベント生存期間 (event-free survival；EFS)	登録日など	(定義による)	イベントの出現なく生存

注1：イベントを原病死に限る場合を cause-specific survival とする。
注2：無再発生存期間と同じ意味として用いられる場合もある。
注3：対側乳癌を含む。
注4：無浸潤疾患生存期間は近年よく用いられるようになった用語である。通常，登録日や割付日を起算日として，浸潤性の病変再発と判断された日，再発以外の浸潤癌の出現が判断された日，またはあらゆる原因による死亡日のうち，いずれか最も早いほうまでの期間と定義されている。無浸潤疾患生存期間や無イベント生存期間は主に臨床試験で用いられる用語であり，何がイベントなのかは，それぞれの臨床試験で異なる可能性があるため注意が必要である。

第4章　臨床的治療効果の判定基準

　この基準は，Response Evaluation Criteria in Solid Tumors (RECIST) Guideline に準拠して，乳癌に対する主として薬物療法の効果を判定するためのものである。放射線療法効果の判定においても，これに準拠して使用される。

1．効果判定の目的

　薬物療法による腫瘍縮小効果判定は，主として以下の3つの目的で行われる。特に，日常臨床（a）と臨床試験（b, c）とを明確に区別する必要がある。

a．日常臨床における治療効果の判定

　日常臨床では，治療効果の有無は様々な臨床データ，臨床検査データに基づいて判定される。このような臨床試験以外の状況での治療効果判定には，事前に取り決められた基準や客観的な基準を用いないことも多い。したがって，日常臨床における治療効果の判定には，ここで明確に規定する効果判定基準を必ずしもすべて適応させる必要はない。たとえば自覚的効果などを含め主観的・総合的に効果判定せざるを得ない骨転移を本判定基準で測定不能病変と定めているのは，「主観の排除」が最大の要であるからにほかならない。臨床試験ではない日常臨床において，治療効果を表現する場合，「臨床的な改善」と「客観的な腫瘍縮小効果」を区別するほうが適切である。

b．早期臨床試験における治療効果の判定

　治験などの新薬開発研究や，新しい併用療法を対象とした早期臨床試験（通常，臨床第Ⅱ相試験）は，試験治療が以降の臨床試験（通常，臨床第Ⅲ相試験）を引き続き行うに値するだけの効果があるかどうかを確認するために行う。そのための試験デザインは対照群を設定しない単一治療群で行われ，「奏効率（response rate）」が治療効果として評価される。効果持続期間，完全寛解率なども同様の目的で用いられる。この奏効率の評価のためには，ここで規定する効果判定基準（RECIST）は最も厳密に適応させるべきである。このような目的で使用される奏効率は，試験治療がある程度の生物学的な抗腫瘍活性を有するか否かを判断する一指標に過ぎず，必ずしも患者にとっての治療による恩恵（benefit）を意味するものではない。

c．真の治療効果の代替指標として使用する腫瘍縮小効果の判定

　真の治療効果とは，治癒，延命，症状緩和，Quality of Life 改善など，患者にとって治療による恩恵（benefit）として認識されるものを指す。これらを科学的に評価するための臨床試験は通常，臨床第Ⅲ相試験である。その場合は，真の治療効果（例：生存期間，無病生存期間など）をプライマリーエンドポイントと設定し，腫瘍縮小効果は真の治療効果の発現を予測する代替指標（surrogate endpoint）であり，臨床試験では副次的エンドポ

イントとなる．試験は対照群（コントロール群）と試験群との比較で行われるが，可能な限りランダム化比較試験による評価が望ましい．

2. 治療前（ベースライン）における腫瘍病変の測定可能性
a. 定　義
　ベースラインにおいて，すべての腫瘍病変を測定可能病変，測定不能病変のいずれかに分け，後者については治療効果判定の対象としない．

1）測定可能病変（measurable lesions）
　a）腫瘍病変（tumor lesions）
　　少なくとも一方向を正確に測定でき最大径が記録できる病変で，①CT で最大径が 10 mm 以上（CT のスライス厚は 5 mm 以下），②臨床的評価としての測径器（キャリパー）による測定で 10 mm 以上，③胸部 X 線写真で 20 mm 以上のいずれかに該当する病変を指す．
　b）リンパ節病変（malignant lymph nodes）
　　病的な腫大と診断され，CT で評価した短軸の径（短径）が 15 mm 以上（CT のスライス厚は 5 mm 以下を推奨）に該当する病変を指す．

2）測定不能病変（non-measurable lesions）
　上記以外のすべての病変を測定不能病変とする．これには，長径が 10 mm 未満の腫瘍病変または短径が 10 mm 以上 15 mm 未満であるリンパ節病変，および真に計測できない病変が含まれる．真に測定不能な病変とは以下をいう．
　①軟膜
　②髄膜病変
　③腹水
　④胸水または心嚢水
　⑤炎症性乳癌
　⑥皮膚や肺のリンパ管症
　⑦視触診では認識できるが再現性のある画像検査法では測定できない腹部腫瘤や腹部臓器の腫大

b. 病変の測定可能性に関して特に考慮すべき点
　a）骨病変（bone lesions）
　　（1）骨病変測定の画像検査法として，骨シンチグラフィ，FDG-PET，単純 X 線撮影は適切ではないと考えられる．しかし，骨病変の存在または消失を確認することには使用可能である．
　　（2）同定可能な軟部組織成分を含み，CT や MRI などの横断画像により評価できる溶骨性骨病変や溶骨性造骨性混合骨病変は，軟部組織成分が上述した測定可能

の定義を満たす場合には，測定可能病変とすることができる。
　　（3）造骨性骨病変は測定不能である。
　b）嚢胞性病変（cystic lesions）
　　（1）画像診断所見により定義される単純嚢胞の規準を満たす病変は，その定義上，当然単純嚢胞であることから腫瘍病変とみなすべきではない（測定可能病変・測定不能病変のいずれでもない）。
　　（2）嚢胞性転移によると思われる「嚢胞性病変」が，上述の測定可能の定義を満たす場合には，測定可能病変とすることができる。しかし，同一患者で他に非嚢胞性病変が認められる場合は，非嚢胞性病変を標的病変に選択することが望ましい。
　c）局所療法の治療歴のある病変
　　（1）過去の放射線治療の照射野内や，その他の局所療法が影響する範囲に存在する腫瘍病変は，病変が増悪を示さない限り，通常，測定可能とはしない。こうした病変を測定可能とする場合にはその条件をプロトコールに詳細に記載する。

3．測定法ごとの詳細

　a．病変の測定
　　すべての計測はキャリパーを使用し，メートル法で表記する。すべてのベースライン評価は，治療開始前4週間以内の可能な限り治療開始に近い時期に行う。
　b．評価の方法
　　ベースラインおよびフォローアップ期間中を通じて，個々の病変の評価，計測，記録，報告には，同じ評価方法，測定手段を用いる。視触診と画像上での評価の両方が可能な病変については，画像上での評価を優先する。
　　1）視触診
　　　皮膚結節，乳房腫瘤などの表在病変でかつ測径器により測定した長径が10 mm以上の場合にのみ測定可能とする。色調の変化などを伴う皮膚病変では，定規を置いたカラー写真記録が望ましい。
　　2）胸部X線写真
　　　胸部X線写真で描出される病変は，その輪郭が明瞭に確認でき，含気の肺実質で全周が囲まれていれば測定可能としてよいが，CTでの測定が望ましい。
　　3）CTとMRI
　　　CTは，病巣計測のためには，現在利用できる最良で最も再現性の高い方法である。RECISTガイドラインでは，CTスライス厚が5 mm以下であるとの仮定に基づいて，CTで描出された病変の測定可能性を定義している。また，CTのスライス厚

が 5 mm を超える場合，測定可能病変のサイズの最小値はスライス厚の 2 倍とする。ある特定の状況（例：体幹部撮影など）においては MRI も許容される。CT による放射線被曝に対する懸念がある場合には，限定された状況下で CT の代わりに MRI を使用してもよい。

4）超音波検査

　主たる評価項目が腫瘍縮小効果である臨床試験の場合には，深部の腫瘍病変の測定には超音波検査を用いるべきではない。乳房腫瘍，表在リンパ節，皮下腫瘤などの視触診による測定可能な病変には，超音波検査を併用することが望ましい。超音波検査は，視触診による測定可能病変の完全寛解を確認するために用いることができる。

5）内視鏡，腹腔鏡

　内視鏡，腹腔鏡を使用した治療効果の客観的評価は推奨されないが，効果確認のための生検材料取得目的，または完全奏効後の再発や外科的切除後の再発がエンドポイントである試験において再発を確認する目的の場合には使用される。

6）血清腫瘍マーカー

　治療開始前に血清腫瘍マーカーが基準値上限を超えて上昇している症例では，他病変がすべて消失した場合に完全奏効（CR）と判定するためには，基準値範囲内までの低下が認められなければならない。ただし，血清腫瘍マーカー単独では治療効果判定に使用できない。

7）細胞診断と病理診断

　プロトコールで規定した場合には，部分奏効（PR）と CR を区別するために使用することができる。

　体腔液の貯留が治療による有害事象であり得ることが知られている場合（タキサン系薬剤や血管新生阻害薬など）で，測定可能な腫瘍が PR または安定（SD）の規準を満たしている場合，PR（または SD）と進行（PD）を区別するために，治療中に出現または増悪した体腔液が癌性であるかどうかを細胞診によって確認することは許容される。

4．腫瘍縮小効果の判定

a．ベースライン評価

1）全病変および全測定可能病変の評価

　ベースラインに治療開始後のフォローアップで効果判定の対象となる全腫瘍病変を評価する。臨床第Ⅱ相試験などの腫瘍縮小効果がプライマリーエンドポイントである臨床試験では，1 つ以上の測定可能病変を有する症例を対象とする。

2）標的病変（target lesions）と非標的病変（non-target lesions）

　ベースライン評価において 2 個以上の測定可能病変を認める場合，測定可能病変の

うち，大きさと測定しやすさを考慮し，1臓器あたり2病変まで，合計5病変までを選択し，標的病変と指定し記録する。選択した個々の標的病変の臓器部位，評価方法，検査日，非リンパ節病変の長径，リンパ節病変の短径およびすべての標的病変の径の和〔非リンパ節病変の長径とリンパ節病変の短径の和（以下，径和）〕を記録する。リンパ節病変も含め，標的病変として選択されなかったすべての病変は非標的病変として臓器部位，検査方法，検査日を記録する。

b．効果判定基準

治療開始後，試験計画書に定めた時期に，標的病変および非標的病変をベースラインと同じ検査法によって評価する。標的病変については径和の推移，非標的病変については消失もしくは増悪の有無を記録する。

1）標的病変の評価

標的病変として設定した病変を対象に効果判定を行い，以下の4段階に分類する。

a）CR：complete response：完全奏効

すべての標的病変が腫瘍による二次的変化を含めて消失した場合。

標的病変として選択したすべてのリンパ節病変は，短径で10 mm未満に縮小しなくてはならない。

b）PR：partial response：部分奏効

標的病変の径和が治療開始前の径和と比べ30％以上減少した場合。

c）SD：stable disease：安定

PRに該当する腫瘍縮小も，PDに該当する腫瘍増大も認めない場合。

d）PD：progressive disease：進行

標的病変の径和がそれまでの最も小さい径和を示した時点から，その20％以上増加，かつ，径和が絶対値でも5 mm以上増加した場合。

2）非標的病変の評価

非標的病変と設定した病変を対象に効果判定を行い，以下の3段階に分類する。

a）CR：complete response：完全奏効

すべての非標的病変が消失かつ腫瘍マーカー値が基準値上限以下となった場合。また，すべてのリンパ節は病的腫大とみなされないサイズ（短径が10 mm未満）とならなければならない。

b）non-CR/non-PD：非CR/非PD

1つ以上の非標的病変が残存かつ/または腫瘍マーカー値が基準値上限を超える場合。

c）PD：progressive disease：進行

既存の非標的病変の明らかな増悪を認めた場合。

注：「明らかな増悪」とは，全体の腫瘍量の増加として治療を中止するに十分値する程度の，非標的病変の著しい増悪が観察されなければならない。

3）新病変

新病変の所見は明らかなものでなければならない。すなわち，撮影方法の相違や画像モダリティの変更による変化や，腫瘍以外の何かを示すと考えられる所見であってはならない。ベースライン評価では撮影されなかった臓器や部位において，経過の検査で病変が同定された場合，それは新病変とみなされ，増悪と判定される。

新病変が明確ではない場合，治療を続けて再評価を行うことで真に新病変であることが明らかになることがある。FDG-PETによる効果の評価はさらなる検証が必要ではあるが，増悪の評価においてCTを補完するためにFDG-PETを併用することが妥当とされる場合もある。

5．最良総合効果

a．総合効果の判定

ある時点において画像検査/測定が全く行われなかった場合，あるいは評価において一部の病変の評価しか行われなかった場合は「評価不能（NE）」とする。表1はベースラインで測定可能病変を有する場合について，各時点での総合効果の決め方をまとめたものである。表2は測定不能病変（すなわち非標的病変）のみを有する場合に使用する。

表1　総合効果の判定（測定可能病変を有する場合）

標的病変の効果	非標的病変の効果	新病変の有無	総合効果
CR	CR	なし	CR
CR	non-CR/non-PD	なし	PR
CR	評価なし	なし	PR
PR	non-CR/non-PD or 評価の欠損あり	なし	PR
SD	non-CR/non-PD or 評価の欠損あり	なし	SD
評価の欠損あり	non-PD	なし	NE
PD	問わない	あり or なし	PD
問わない	PD	あり or なし	PD
問わない	問わない	あり	PD

表2　総合効果の判定（測定不能病変のみを有する場合）

非標的病変の効果	新病変の有無	総合効果
CR	なし	CR
non-CR/non-PD	なし	non-CR/non-PD
評価なしがある	なし	NE
明らかな増悪	あり or なし	PD
問わない	あり	PD

b. すべての評価時点を通じての最良総合効果

1）完全奏効や部分奏効の確定が必要ではない試験における最良総合効果の判定

　　全時点を通しての最良の効果と定義される。最良総合効果をSDとする場合には，プロトコールで定められたベースラインからの最短期間の規準をも満たさなければならない。最短期間の規準が満たされないことを除いてSDが最良の効果である場合，最良総合効果はその次の評価により異なる。

2）完全奏効や部分奏効の確定が必要とされる試験における最良総合効果の判定

　　完全奏効や部分奏効は，プロトコールで定められた，次の評価時点（通常は4週後）においても，それぞれの規準が満たされた場合にのみ判定することができる。確定を要する場合，最良総合効果は表3のように決められる。

表3　最良総合効果の判定（CRやPRの確定が必要とされる場合）

最初の総合評価	次の総合評価	最良の総合評価
CR	CR	CR
CR	PR	SD，PD or PR
CR	SD	SDの最短規準を満たせばSD，それ以外はPD
CR	PD	SDの最短規準を満たせばSD，それ以外はPD
CR	NE	SDの最短規準を満たせばSD，それ以外はNE
PR	CR	PR
PR	PR	PR
PR	SD	SD
PR	PD	SDの最短規準を満たせばSD，それ以外はPD
PR	NE	SDの最短規準を満たせばSD，それ以外はNE
NE	NE	NE

c. 効果判定に関する特別の注意

　（1）リンパ節のサイズが増大した際の過大評価により増悪としないために，リンパ節が正常化した場合でもその測定値を記録する。

　（2）効果の確定が必要な試験においては，「NE」が繰り返された場合，最良総合効果の判定が複雑になると考えられる。たとえば，大半の試験においては，時点ごとの効果がPR-NE-PRであった患者において，効果が確定したとみなすことは妥当である。

　（3）「病状悪化」は健康状態の全体的な悪化（病状悪化）により，その時点での客観的な増悪の証拠が得られないまま，治療の中止が必要となった場合とするべきである。「病状悪化」は客観的な効果の1カテゴリーではなく，試験治療の中止理由である。このような患者における客観的効果は，表1～3に記載のとおり標

的病変と非標的病変の評価により判定する。

(4) 早期増悪，早期死亡，評価不能の定義は，臨床試験計画書（プロトコール）ごとに事前に規定しておく。

(5) 残存病変と正常組織の区別が困難なことがある。完全奏効とするか否かがこの区別に左右される場合には，完全奏効と判定する前に残存病変の検査（穿刺吸引細胞診や生検）を行うことが推奨される。

(6) 放射線画像における残存病変の異常が線維化や瘢痕を示すものと考えられる場合，生検の場合と同様，効果の判定をCRに格上げするためにFDG-PETを使用してもよい。

(7) 増悪の所見が不明確な場合は，次回の評価時点まで治療を継続してもよい。増悪が確定した場合，増悪判定日は先に増悪が疑われた日にする。

6. 再評価の頻度

治療中の効果判定の頻度は，治療の種類やスケジュールに応じてプロトコールごとに決められるべきものである。ただし，治療の有益な効果が現れる時期が未知である第Ⅱ相試験においては，6～8週ごと（各サイクルの終了時と一致した時期）の効果判定が必要である。プロトコールには，ベースライン評価で測定すべき臓器部位（対象によって高頻度に転移が起こるとされている部位），効果判定の反復頻度（検査間隔）を明記する。

7. 確定のための測定/奏効期間

a. 確定（confirmation）

腫瘍縮小効果がプライマリーエンドポイントである非ランダム化試験においては，PRおよびCRの確定が必要である。しかし，ランダム化試験（第Ⅱ相，第Ⅲ相）や，安定（SD）もしくは増悪がプライマリーエンドポイントである試験においては，効果の確定は不要である。SDの場合，試験登録後，試験プロトコールで定義される最短の間隔（通常は6～8週間以上）を経た時点までに測定値が1回以上SDの規準を満たすものとする。

b. 奏効率（response rate）

治療対象となった症例のうち，CR，PRと判定された症例の比率。

c. 臨床的有用率（clinical benefit rate）

治療対象となった症例のうち，CR，PRおよびLong SD症例の比率。

d. 奏効期間（duration of response）

CRまたはPRが最初に判定された時点から再発または増悪と診断された最初の日までの期間を指す。

e. 完全寛解期間（duration of complete response）

　CR が最初に判定された時点から再発が客観的に確認された日までの期間を指す。

f. 安定期間（duration of stable disease）

　SD と判定された症例について，治療開始から増悪と診断された時点までの期間を指す。

g. Long SD

　24 週間以上の SD 持続が確認された症例を指す。

h. 無増悪生存期間/無増悪生存割合（progression-free survival/proportion progression-free）

　無増悪生存期間とは，奏効例において，治療開始（または症例登録）から PD と判定されるまでの期間を指す。無増悪生存割合とは，ある特定の時点でのその割合を指す。

　1）第Ⅱ相試験

　　奏効率をエンドポイントとすることが抗腫瘍効果を評価する方法として最適ではない場合，「無増悪生存期間（PFS）」や，ある特定の時点での「無増悪生存割合（proportion progression-free）」が，新規薬剤の生物学的効果に関する最初の結果を示すのに適切な代替指標となる可能性がある。

　2）第Ⅲ相試験

　　進行癌を対象とする第Ⅲ相試験において，無増悪生存期間や無増悪期間を主たるエンドポイントに用いることが増えてきている。その場合，測定可能病変を有する患者と測定不能病変のみを有する患者の両方の登録を許容する状況下では，測定可能病変を有さない患者で「PD」と判定する根拠となる所見を明確に記述するための配慮が必要となる。また，第Ⅲ相試験では，測定可能病変を有する患者で記録する標的病変の最大数を 5 つから 3 つに減らすことも許容されるが，その場合はプロトコールに明記する。

i. 無増悪期間（time to progression）

　すべての対象症例において，治療開始（または症例登録）から PD とされるまでの期間。

j. 治療継続期間（time to treatment failure）

　すべての対象症例において，治療開始（または症例登録）から，毒性，同意撤回，PD 判定，病状増悪，死亡などの理由により治療を中止するまでの期間。

k. 全生存期間（overall survival time）

　すべての対象症例において，治療開始（または症例登録）から死亡までの期間。

8. 効果や増悪に関する第三者による再判定

客観的な腫瘍縮小効果（CR＋PR）がプライマリーエンドポイントである試験では，担当医判定によるすべての奏効が試験から独立した専門家により再判定（review）されることが推奨される。ランダム化比較試験の場合には，判定者は割り付け群について盲検化されることが望ましい。患者の臨床情報と放射線画像を同時に検討することが最良の方法である。

9. 最良総合効果に関する結果の報告

a. 第Ⅱ相試験

客観的な腫瘍縮小効果（CR＋PR）がプライマリーエンドポイントであり，そのためすべての患者が測定可能病変を有している試験では，試験に登録されたすべての患者を結果の報告に含めなければならない。

対象となった症例は以下のいずれかのカテゴリーに分類する。

①完全奏効（complete response）
②部分奏効（partial response）
③安定（stable disease）
④増悪（progression）
⑤効果の評価不能（inevaluable for response）：理由を明示

b. 第Ⅲ相試験

第Ⅲ相試験における客観的な腫瘍縮小効果は，対象とする治療の相対的な抗腫瘍効果の指標となり得るが，ほとんどの場合，副次的なエンドポイントとして評価される。観察された奏効率の差は，対象集団に対して臨床的に意味のある治療のベネフィットを予測するものではない。第Ⅲ相試験にて客観的な腫瘍縮小効果をプライマリーエンドポイントとして選択した場合は，第Ⅱ相試験に適用される規準と同様の規準を用い，すべての登録患者は測定可能病変を1つ以上有していなければならない。腫瘍縮小効果が副次的なエンドポイントであって，すべての試験対象患者が測定可能病変を有しているわけではない場合であっても，最良総合効果の報告の方法については事前にプロトコールに明記しておかなければならない。

第 2 部

病理編

[第 1 章 乳腺腫瘍の組織学的分類]
病理小委員会（2025 年 6 月）［2022 年 11 月～2024 年 10 月］
　委員長　　山口　　倫（規約委員会副委員長）
　委　員　　堀井　理絵　　小塚　祐司　　黒田　　一
　　　　　　前田　一郎　　森谷　卓也　　大迫　　智
　　　　　　坂谷　貴司　　津田　　均（規約委員会委員長）

乳癌研究会組織学的分類委員会（1984 年）
　委員長　　菅野　晴夫
　委　員　　遠城寺宗知　　廣田　映五　　泉雄　　勝
　　　　　　川井　忠和　　坂元　吾偉　　笹野　伸昭
　　　　　　妹尾　亘明　　渡辺　　弘　　渡辺駸七郎
　協力者　　深見　敦夫　　久野敬二郎

[第 2 章 11.b. 核グレード分類]
悪性度問題検討小委員会（2004 年 6 月）
　委員長　　津田　　均
　副委員長　坂元　吾偉
　委　員　　秋山　　太　　本間　慶一　　市原　　周
　　　　　　黒住　昌史　　大住　省三　　豊島　里志

[第 3 章 細胞診および針生検の報告様式]
細胞診および生検材料検討小委員会（2003 年 6 月）
　委員長　　土屋　眞一
　副委員長　秋山　　太
　委　員　　井内　康輝　　石原　明徳　　伊藤　　仁
　　　　　　方山　揚誠　　北村　隆司　　森谷　卓也
　　　　　　津田　　均　　都竹　正文　　梅村しのぶ

[第 4 章 バイオマーカー検索と判定基準]
規約委員会病理編担当委員（2012 年 5 月）
　　増田しのぶ　　秋山　　太　　土屋　眞一

[第 5 章 組織学的治療効果の判定基準]
組織学的治療効果の判定基準検討小委員会（2018 年 5 月）
　委員長　　向井　博文
　委　員　　堀井　理絵　　増田　慎三　　津田　　均
　　　　　　山口　　雄　　山本　　豊

（ABC 順）

第 1 章　乳腺腫瘍の組織学的分類

乳腺腫瘍の組織学的分類

I. 上皮性腫瘍
 A. 良性腫瘍
  1. 乳管内乳頭腫
  2. 乳管腺腫
  3. 管状腺腫
  4. 授乳性腺腫
  5. 腺筋上皮腫
  6. 乳頭部腺腫
  7. その他
 B. 前駆病変
  1. 円柱状細胞病変
   ［平坦型上皮異型を含む］
  2. 異型乳管過形成
 C. 非浸潤性小葉腫瘍
  1. 異型小葉過形成
  2. 非浸潤性小葉癌
   a. 古典型
   b. 開花型
   c. 多形型
 D. 悪性腫瘍/癌腫
  1. 非浸潤癌
   a. 非浸潤性乳管癌
   b. 非浸潤性充実乳頭癌
   c. 被包型乳頭癌
   d. Paget 病
  2. 浸潤癌
   a. 微小浸潤癌
   b. 浸潤性乳管癌

   c. 特殊型
    (1) 浸潤性小葉癌
    (2) 管状癌

Histological Classification of Breast Tumors

I. EPITHELIAL TUMORS
 A. Benign tumors
  1. Intraductal papilloma
  2. Ductal adenoma
  3. Tubular adenoma
  4. Lactating adenoma
  5. Adenomyoepithelioma
  6. Nipple adenoma
  7. Others
 B. Precursor lesions
  1. Columnar cell lesions [including flat epithelial atypia]
  2. Atypical ductal hyperplasia
 C. Non-invasive lobular neoplasia
  1. Atypical lobular hyperplasia
  2. Lobular carcinoma in situ
   a. Classic type
   b. Florid type
   c. Pleomorphic type
 D. Malignant tumors/Carcinomas
  1. Non-invasive carcinomas
   a. Ductal carcinoma in situ
   b. Solid papillary carcinoma in situ
   c. Encapsulated papillary carcinoma
   d. Paget disease
  2. Invasive carcinomas
   a. Microinvasive carcinoma
   b. Invasive ductal carcinoma/Invasive breast carcinoma of no special type
   c. Special types
    (1) Invasive lobular carcinoma
    (2) Tubular carcinoma

（3）篩状癌　　　　　　　　　　　　（3）Cribriform carcinoma
　　　（4）粘液癌　　　　　　　　　　　　（4）Mucinous carcinoma
　　　（5）浸潤性充実乳頭癌　　　　　　　（5）Invasive solid papillary carcinoma
　　　（6）浸潤性乳頭癌　　　　　　　　　（6）Invasive papillary carcinoma
　　　（7）浸潤性微小乳頭癌　　　　　　　（7）Invasive micropapillary carcinoma
　　　（8）アポクリン癌　　　　　　　　　（8）Apocrine carcinoma（Carcinoma with apocrine differentiation）
　　　（9）化生癌　　　　　　　　　　　　（9）Metaplastic carcinoma
　　　　（ⅰ）低異型度腺扁平上皮癌　　　　　（ⅰ）Low-grade adenosquamous carcinoma
　　　　（ⅱ）線維腫症様化生癌　　　　　　　（ⅱ）Fibromatosis-like metaplastic carcinoma
　　　　（ⅲ）紡錘細胞癌　　　　　　　　　　（ⅲ）Spindle cell carcinoma
　　　　（ⅳ）扁平上皮癌　　　　　　　　　　（ⅳ）Squamous cell carcinoma
　　　　（ⅴ）異所性間葉系分化を伴う化生癌　（ⅴ）Metaplastic carcinoma with heterologous mesenchymal differentiation
　　　　（ⅵ）混合型化生癌　　　　　　　　　（ⅵ）Mixed metaplastic carcinoma
　　（10）腺様嚢胞癌　　　　　　　　　　（10）Adenoid cystic carcinoma
　　（11）分泌癌　　　　　　　　　　　　（11）Secretory carcinoma
　　（12）その他　　　　　　　　　　　　（12）Others

Ⅱ．線維上皮性腫瘍　　　　　　　　　　Ⅱ．FIBROEPITHELIAL TUMORS
　A．線維腺腫　　　　　　　　　　　　　A．Fibroadenoma
　B．葉状腫瘍　　　　　　　　　　　　　B．Phyllodes tumor
　C．その他　　　　　　　　　　　　　　C．Others

Ⅲ．軟部腫瘍　　　　　　　　　　　　　Ⅲ．SOFT TISSUE TUMORS
　A．良性腫瘍および腫瘍様病変　　　　　A．Benign tumors and tumor-like lesions
　　1．血管腫　　　　　　　　　　　　　　1．Hemangioma
　　2．結節性筋膜炎　　　　　　　　　　　2．Nodular fasciitis
　　3．筋線維芽細胞腫　　　　　　　　　　3．Myofibroblastoma
　　4．神経鞘腫　　　　　　　　　　　　　4．Schwannoma
　　5．神経線維腫　　　　　　　　　　　　5．Neurofibroma
　　6．顆粒細胞腫　　　　　　　　　　　　6．Granular cell tumor
　　7．平滑筋腫　　　　　　　　　　　　　7．Leiomyoma
　　8．脂肪腫および血管脂肪腫　　　　　　8．Lipoma and angiolipoma
　　9．その他　　　　　　　　　　　　　　9．Others
　B．中間群腫瘍　　　　　　　　　　　　B．Intermediate tumors

        1. デスモイド線維腫症
        2. その他
    C. 悪性腫瘍/肉腫
        1. 血管肉腫
            a. 原発性血管肉腫
            b. 二次性血管肉腫
        2. その他

IV. リンパ腫および造血器腫瘍
    A. 悪性リンパ腫
    B. その他

V. 転移性腫瘍

VI. その他
    A. いわゆる乳腺症
    B. 放射状瘢痕/複雑型硬化性病変
    C. 微小腺管腺症
    D. 過誤腫
    E. 炎症性病変
    F. 粘液瘤様病変
    G. 乳腺線維症
    H. 女性化乳房症
    I. 副　乳

        1. Desmoid fibromatosis
        2. Others
    C. Malignant tumors/Sarcomas
        1. Angiosarcoma
            a. Primary angiosarcoma
            b. Secondary angiosarcoma
        2. Others

IV. Hematolymphoid tumors
    A. Malignant lymphoma
    B. Others

V. METASTATIC TUMORS

VI. OTHERS
    A. So-called mastopathy（Fibrocystic breast changes）
    B. Radial scar/Complex sclerosing lesion
    C. Microglandular adenosis
    D. Hamartoma
    E. Inflammatory lesions
    F. Mucocele-like lesion
    G. Fibrous disease
    H. Gynecomastia
    I. Accessory mammary gland

I．上皮性腫瘍　Epithelial tumors

A．良性腫瘍　Benign tumors

1. 乳管内乳頭腫　Intraductal papilloma（図1～4）

　乳管内に発生する乳頭状腫瘍で，臨床的に乳頭からの出血をみることが多い．乳輪近傍に集まる太い乳管に孤立性に発生する中枢性乳頭腫と，末梢乳管や終末乳管小葉単位（terminal duct lobular unit；TDLU）に多発する傾向のある末梢性乳頭腫に分類される．組織学的には，円柱ないしは立方状の乳管上皮と筋上皮が2細胞性（2相性）をなして乳頭状ないし樹枝状に配列し，間質に富む．乳管が囊胞状に拡張したものは囊胞内乳頭腫（intracystic papilloma）とも呼ばれる．本腫瘍内に異型上皮や非浸潤癌を合併することがある．

2. 乳管腺腫　Ductal adenoma（図5，6）

　良性の上皮細胞の増殖からなる乳管内病変であり，大小さまざまな腺管が密に増殖し，乳管上皮が充実性増殖を示すこともある．しばしば病変の中心部に瘢痕状の線維化がみられ，辺縁部は被膜様構造で被覆されることが多い．ときに病巣が乳管外へ偽浸潤様に広がることや異型の強いアポクリン化生がみられることがある．
　注：同義語として硬化性乳管内乳頭腫（sclerosing intraductal papilloma）がある．

3. 管状腺腫　Tubular adenoma（図7）

　上皮成分の増殖を主体とし，比較的間質に乏しいもので，周囲組織との境界は明瞭である．上皮成分は小管状構造を呈するものをいう．

4. 授乳性腺腫　Lactating adenoma（図8）

　上皮成分の増殖を主体とし，周囲組織との境界は明瞭である．妊娠授乳期に生じ，分泌性変化を示す管状腺房構造を有するものをいう．

5. 腺筋上皮腫　Adenomyoepithelioma（図9，10）

　乳管上皮細胞と筋上皮細胞の2種類の上皮細胞より構成されるが，筋上皮細胞の増生が主体である．基本的には良性腫瘍で，境界明瞭で多結節性の腫瘤を形成し，周囲は線維性結合織で取り囲まれる．まれに，乳管上皮または筋上皮の一方または両方が癌化することがあり，悪性成分を伴う腺筋上皮腫（adenomyoepithelioma with carcinoma）あるいは悪性腺筋上皮腫（malignant adenomyoepithelioma）として，悪性腫瘍に分類される．

6. 乳頭部腺腫　Nipple adenoma（図 11, 12）

乳頭内または乳輪直下乳管内に生ずる乳頭状ないしは充実性の腺腫であり，乳管内乳頭腫と同じく上皮細胞の配列は 2 細胞性である。

注：同義語として adenoma of the nipple，乳輪下乳管乳頭腫症（subareolar duct papillomatosis）がある。

7. その他　Others

唾液腺型腫瘍（多形腺腫 pleomorphic adenoma など），皮膚付属器型腫瘍（アポクリン腺腫 apocrine adenoma，汗管腫様腫瘍 syringomatous tumor）などがまれに認められる。

B. 前駆病変　Precursor lesions

癌の基準は満たさないが上皮に細胞異型と構造異型を伴う病変として，円柱状細胞病変（columnar cell lesions）［平坦型上皮異型（flat epithelial atypia；FEA）を含む］，異型乳管過形成（atypical ductal hyperplasia；ADH），異型小葉過形成（atypical lobular hyperplasia；ALH）がある。低異型度乳癌のリスク病変や前駆病変としての意義が議論の対象となっている病変である。ALH は次項 C. 1. に解説がある。

1. 円柱状細胞病変　Columnar cell lesions［平坦型上皮異型（Flat epithelial atypia）を含む］（図 13, 14）

円柱状細胞病変は，TDLU においてさまざまな程度に拡張を示す腺房があり，概ね均一な円柱状上皮に被覆された病変をいう。円柱状細胞病変の中で，構成上皮が低異型度の非浸潤性乳管癌に類似した細胞異型を有する病変が平坦型上皮異型である。核は 1〜数層まで重積し，しばしば管腔面に apical snouts を伴う。重積した上皮が房状となることはあるが，橋渡し状構築や微小乳頭状構築を形成することはない。内腔に分泌物や石灰化を伴うことがある。通常は顕微鏡サイズの病変である。

2. 異型乳管過形成　Atypical ductal hyperplasia（図 15, 16）

TDLU 内を主体に一部そこから連続する乳管内で，質的には低異型度の非浸潤性乳管癌に類似した異型上皮が橋渡し状や微小乳頭状，篩状や充実性に増殖するが，量的に 2 つの管腔あるいは 2 mm 未満にとどまる病変をいう。原則的に微小な病変で，乳管内乳頭腫，放射状硬化性病変などの良性病変に付随して生じることがある。診断困難な乳管内増殖性病変に対してこの用語を用いるべきではない。

C. 非浸潤性小葉腫瘍　Non-invasive lobular neoplasia

　　TDLUから発生した接着性が乏しい異型細胞からなる上皮内病変。細胞接着因子であるE-cadherinの機能不全がみられる。多様な組織形態を示し，異型小葉過形成と非浸潤性小葉癌とに分けられる。浸潤性乳癌の単なるリスク病変なのか前駆病変の可能性があるのかについては議論がある。

　1. 異型小葉過形成　Atypical lobular hyperplasia（図17，18）
　　小型で比較的均質な腫瘍細胞により拡張した腺房がTDLUの50％未満のものをいう。非腫瘍の腺房と比較して腺房径が明らかに大きい場合や，1つの腺房の直径が腫瘍細胞8個分以上の場合を拡張と判断する。腫瘍細胞がTDLUの50％を超えて存在していても腺房の拡張がない場合は，異型小葉過形成と診断する。

　2. 非浸潤性小葉癌　Lobular carcinoma in situ（図19〜22）
　　腫瘍細胞により拡張した腺房の割合がTDLU内で50％を超えるものをいう。終末乳管へのPagetoid進展を伴うこともある。腫瘍細胞の異型度，腺房拡張の程度はさまざまで，その特徴により古典型，開花型，多形型の亜型が定義されている。
　　a. 古典型　Classic type（図19，20）
　　　小型で比較的均質な腫瘍細胞からなるものをいう。
　　b. 開花型　Florid type（図21）
　　　腺房や乳管の拡張が高度で，それらが融合した腫瘤様構造を呈するものをいう。腺房間の間質は乏しく，腺房の直径は少なくとも腫瘍細胞40〜50個分に相当する。しばしば腫瘍胞巣内に中心壊死がみられる。構成細胞の異型は軽度で古典型と類似している。
　　c. 多形型　Pleomorphic type（図22）
　　　大型で多形性を示す高異型度の腫瘍細胞からなるものをいう。しばしば腫瘍胞巣内に中心壊死がみられる。アポクリン分化を伴う場合と伴わない場合がある。

D. 悪性腫瘍/癌腫　Malignant tumors/Carcinomas
　1. 非浸潤癌　Non-invasive carcinomas
　　a. 非浸潤性乳管癌　Ductal carcinoma in situ（図23〜28）
　　　乳管内増殖を示す癌で，間質への浸潤がみられないものをいう。多種多彩な組織構築を示し，代表的なものは乳頭型（papillary type），微小乳頭型（micropapillary type），篩状-乳頭型（cribriform-papillary type），篩状型（cribriform type），充実型（solid type），面疱型（comedo type）である。アポクリン分化を伴うことがある。核異型度や面疱壊死の有無によって低・中・高異型度に分類することが可能である。

注1：Non-invasive ductal carcinoma と同義語である。
注2：乳頭型は papillary ductal carcinoma in situ（papillary DCIS）とも呼称される。

b. 非浸潤性充実乳頭癌　Solid papillary carcinoma in situ（図29〜31）

線維血管性間質を軸に充実性増殖を示す腫瘍で，しばしば神経内分泌分化を示す。癌細胞はときに紡錘形や印環状となる。癌胞巣周囲の筋上皮細胞の有無は問わず，形態学的に境界明瞭な丸みを帯びた輪郭を有する癌胞巣は非浸潤癌成分とする。

注：癌胞巣周囲に明らかな浸潤がみられる場合は，浸潤巣のサイズおよび特徴に基づいて分類し，浸潤を伴う充実乳頭癌（solid papillary carcinoma with invasion）と付記する。浸潤部はしばしば粘液産生を伴う。

c. 被包型乳頭癌　Encapsulated papillary carcinoma（図32〜34）

線維性被膜に被包された囊胞様構造内に，線維血管性間質を軸に低異型度から中異型度の癌細胞が乳頭状増殖を示し，境界明瞭な円形腫瘍を形成するものである。線維性被膜内の腫瘍細胞を浸潤とはしない。通常，乳頭状構造部，腫瘍辺縁部には筋上皮細胞の介在を認めない。

注1：基本的に，腫瘍胞巣周囲の筋上皮細胞が欠如するため，生物学的には浸潤と考えられるが，線維性に被包され，臨床的にも予後が良いことから，非浸潤癌に分類される。
注2：線維性被膜を越えて浸潤巣がみられる場合は，浸潤巣のサイズおよび特徴に基づいて分類し，浸潤を伴う被包型乳頭癌（encapsulated papillary carcinoma with invasion）と付記する。
注3：まれに構築は被包型乳頭癌に類似するが，腫瘍全体を高異型度癌が占める例があり，この場合は浸潤性乳癌として診断およびマネジメントを行う。

d. Paget 病　Paget disease（図35〜37）

乳頭表皮内に腺癌成分がみられる乳癌で，ときに乳輪部および周囲表皮への進展を伴う。乳頭・乳輪部および周囲表皮に限局したものを Paget 病と主診断する。

注1：まれに Paget 病は，真皮に微小浸潤もしくはそれを越える浸潤を伴う。その場合も Paget 病と診断し，臨床・病理学的事項は浸潤性乳癌に準じて記載する。
注2：連続して乳腺内に病変がみられることが多いが，乳房内に連続性に非浸潤癌を伴う場合は非浸潤癌と主診断し，また連続性に非浸潤癌に微小浸潤成分あるいは浸潤癌成分を伴う場合は，それぞれ微小浸潤癌，浸潤癌と主診断し，Paget 病の存在は所見に記入する。

2. 浸潤癌　Invasive carcinomas

癌細胞が間質へ浸潤したものをいう。組織型は浸潤癌胞巣の形態に基づいて判定する。複数の組織型が混在し，一方の組織型が90％以上の面積を占め，他方の組織型が10％未満の場合は，前者の純型とする。10％以上の面積を占める組織型が複数混在する場合は，それらの混合型とする。混合型の場合，面積が広い順に組織型を併記する。混合型

の中で，主な組織型を1つ決める必要がある場合は，面積が最も広い組織型とする。

注：微小浸潤癌以外で，乳管内癌巣が主病変の大部分を占めるものは，predominant intra-ductal component（＋）と付記する（第2部第2章8項，80頁参照）。

a. 微小浸潤癌　Microinvasive carcinoma（図38，39）

間質浸潤の大きさが1mm以下の浸潤癌で，浸潤形態を問わない。

注：浸潤巣が複数ある場合には，最大径の病変で評価する。

b. 浸潤性乳管癌　Invasive ductal carcinoma/Invasive breast carcinoma of no special type

浸潤径が1mm超で，特殊型に該当する細胞所見および組織構築を認めない浸潤癌をいう。浸潤癌胞巣の大きさ，間質の量および腺腔形成性の程度などから，多彩な組織像を示す。

代表的な増殖様式に，間質増生に乏しく大きな浸潤癌胞巣が圧排性ないし膨張性に増殖するものや間質増生を伴って癌細胞が小塊状ないし索状に浸潤するものがある（第2部第2章7項，80頁参照）（図40〜48）。

特殊形態として，髄様パターン（medullary pattern），神経内分泌分化を伴う癌（invasive carcinoma with neuroendocrine differentiation），多形パターン（pleomorphic pattern），グリコーゲン淡明細胞パターン（glycogen-rich clear cell pattern），破骨細胞様巨細胞を伴う癌（carcinoma with osteoclast-like stromal giant cells），絨毛癌様パターン（choriocarcinomatous pattern），メラニン含有パターン（melanotic pattern），オンコサイトパターン（oncocytic pattern），脂質分泌パターン（lipid-rich pattern），脂腺パターン（sebaceous pattern）が挙げられる。

c. 特殊型　Special types

浸潤径が1mm超で，浸潤性乳管癌とは異なる，独特の細胞学的，組織学的ないし分子遺伝学的特徴を示す癌を特殊型という。

(1) 浸潤性小葉癌　Invasive lobular carcinoma（図49〜52）

比較的小型で細胞間の接着性に乏しい腫瘍細胞が索状あるいは孤在性に浸潤する腫瘍である。免疫組織化学上，多くの症例でE-cadherinの発現が減弱ないし欠失する。腫瘍細胞が一列に並ぶか索状を呈することが多い（古典型 classic type）。充実胞巣状増殖を示すこともある（充実型 solid type）。細胞内に粘液をもち，印環細胞の像を示すこともある。細胞異型が強く多形性を示し，核分裂像の多いものがある（多形型 pleomorphic type）。非浸潤性小葉癌巣を伴うことが多い。

注：E-cadherinの発現がある場合でも，明らかな浸潤性小葉癌の形態を示す腫瘍は，浸潤性小葉癌に分類する。

(2) 管状癌　Tubular carcinoma（図53，54）
　　高分化の管腔を形成する浸潤癌である．癌細胞の異型度は極めて軽度であり，細胞は1層に並んで配列し，やや不規則で明瞭な腺腔を形成する．

(3) 篩状癌　Cribriform carcinoma（図55，56）
　　癌細胞が，非浸潤性乳管癌の篩状型でみられる「ふるい」に似た構造を示して浸潤する低異型度な浸潤癌をいう．

(4) 粘液癌　Mucinous carcinoma（図57，58）
　　癌細胞が産生した大量の粘液が間質組織内に貯留しており，その中に大小の胞巣を形成する癌細胞塊が浮遊している腫瘍である．
　　注1：癌細胞が少なく粘液の多いA型と，癌細胞が多く粘液の少ないB型がある．
　　注2：微小乳頭構造（micropapillary pattern）をとることがある．

(5) 浸潤性充実乳頭癌　Invasive solid papillary carcinoma（図59）
　　胞体豊富な癌細胞が線維血管性間質を伴い，充実乳頭状に胞巣を形成しながら増殖する病変．非浸潤性充実乳頭癌と組織像は類似するが，腫瘍胞巣は筋上皮細胞が欠如し，辺縁が不整となり，周囲に間質反応を伴った地図状のジグソーパターンを呈し，しばしば脂肪織に浸潤する．粘液産生を伴うことも多い．
　　注：浸潤癌胞巣の周囲が粘液で取り囲まれている部分は，粘液癌成分とする．

(6) 浸潤性乳頭癌　Invasive papillary carcinoma（図60）
　　線維血管性間質を軸に筋上皮を伴わず腫瘍細胞が配列し，明らかな浸潤増殖を示す腫瘍である．

(7) 浸潤性微小乳頭癌　Invasive micropapillary carcinoma（図61，62）
　　網状の細い線維間質による裂隙中に存在する空洞状あるいは桑の実状の癌細胞小集塊からなる浸潤性乳癌である．腫瘍細胞は，逆転した細胞極性を示し，通常の腔面が間質側に向かっている．リンパ管侵襲が顕著なことがある．

(8) アポクリン癌　Apocrine carcinoma（Carcinoma with apocrine differentiation）（図63）
　　エオジン好性の細胞質と無数の細胞内微小顆粒を有するアポクリン分化を示す浸潤癌をいう．

(9) 化生癌　Metaplastic carcinoma
　　上皮性腫瘍成分が扁平上皮細胞かつ/または間葉性にみえる部分（紡錘形，軟骨，骨，横紋筋など）への分化を示すものをいう．完全に化生成分からなるものと，浸潤性乳管癌と化生成分が複雑に入り混じるものがある．

（ⅰ）低異型度腺扁平上皮癌　Low-grade adenosquamous carcinoma（図64）

　　腺管構造と扁平上皮化生を示す充実性～索状構造を特徴とし，周辺にリンパ球集塊をしばしば伴う。

（ⅱ）線維腫症様化生癌　Fibromatosis-like metaplastic carcinoma（図65，66）

　　核異型が軽度～中等度の紡錘形細胞が波状に交錯する束状配列を示し，周囲に浸潤する。扁平上皮化生をしばしば伴う。腫瘍細胞は免疫組織化学法においてp63やケラチンが陽性である。

（ⅲ）紡錘細胞癌　Spindle cell carcinoma（図67，68）

　　紡錘形細胞からなり，肉腫様にみえるが，一部に上皮性性格が明らかな癌細胞や扁平上皮化生を示す部分がみられることが多い。肉腫様部分も上皮性の癌細胞が紡錘形となったものである。

（ⅳ）扁平上皮癌　Squamous cell carcinoma（図69，70）

　　扁平上皮化生を伴う癌で，癌胞巣が単に重層を示すだけでなく，角化あるいは細胞間橋のみられるものをいう。

（ⅴ）異所性間葉系分化を伴う化生癌　Metaplastic carcinoma with heterologous mesenchymal differentiation（図71～74）

　　基質産生癌（matrix-producing carcinoma）や骨・軟骨化生を伴う癌（carcinoma with osseous/cartilaginous differentiation）が含まれる。基質産生癌は，軟骨基質ないしは骨基質の産生を特徴とする。癌腫成分と基質成分の間に紡錘細胞成分や破骨細胞成分は介在しない。骨・軟骨化生を伴う癌は，腫瘍巣内に骨あるいは軟骨化生を示す癌腫をいう。

（ⅵ）混合型化生癌　Mixed metaplastic carcinoma

　　化生癌の主たる部分が異なる要素の混合を示すもので，例えば扁平上皮癌と紡錘細胞癌が混在する腫瘍がここに分類される。

(10) 腺様嚢胞癌　Adenoid cystic carcinoma（図75，76）

　腫瘍性の上皮および筋上皮が，篩状，管状ないし充実性の構築で増殖する浸潤癌をいう。唾液腺などにみられる同名の癌と同様の組織像を示す。

　　注：*MYB*もしくは*MYBL1*の構造変異（*NFIB*との融合遺伝子を含む）が，多くの症例に認められる。

(11) 分泌癌　Secretory carcinoma（図77，78）

　細胞質内分泌空胞および細胞外分泌物を認める浸潤癌をいう。微小嚢胞状，管

状，乳頭状など多彩な組織構築をとる。
  注：融合遺伝子 *ETV6::NTRK3* が多くの症例に認められる。

(12) その他　Others

 上記に分類されていない特異な形態を示すものがあれば，その組織型を記し，この項に分類する。粘液嚢胞腺癌（mucinous cystadeocarcinoma），腺房細胞癌（acinic cell carcinoma），粘表皮癌（mucoepidermoid carcinoma），多形腺癌（polymorphous adenocarcinoma），極性反転を伴う高細胞癌（tall cell carcinoma with reversed polarity），神経内分泌腫瘍・神経内分泌癌（neuroendocrine tumor/neuroendocrine carcinoma）などがある。

  注：浸潤性充実乳頭癌（invasive solid papillary carcinoma），細胞成分の多い粘液癌（mucinous carcinoma），神経内分泌分化を伴う癌（invasive carcinoma with neuroendocrine differentiation）などは神経内分泌マーカーを発現することもあるが，WHO分類第5版においては神経内分泌腫瘍・神経内分泌癌（neuroendocrine tumor/neuroendocrine carcinoma）に含まれていない。

II．線維上皮性腫瘍　Fibroepithelial tumors

上皮成分と間質成分が増生した腫瘍である。
  注：本規約第18版までは結合織性および上皮性混合腫瘍の名称としていた。

A．線維腺腫　Fibroadenoma（図79〜82）

 孤立性または多発性に乳腺内に発生する境界明瞭な良性腫瘍である。間葉系成分は粘液状で未熟な線維芽細胞をもつものから，緻密な結合組織を伴うものまであり，硝子化やまれに石灰化，骨化などを伴う。線維腺腫は以下の4型に分類される。

1) 管内型（intracanalicular type）：上皮成分の形態が細長い管状のもの
2) 管周囲型（pericanalicular type）：上皮成分の形態が丸い管状のもの
3) 類臓器型（organoid type）：上皮成分が小葉構造までの分化を示すもの
4) 複合型（complex type）〔乳腺症型（mastopathic type）〕：上皮成分が乳腺症様構造を示すもの

亜分類された型は画像所見や細胞診所見が異なる。若い女性に発生する線維腺腫のなかには著しく大きな腫瘤を形成するものがあり，巨大線維腺腫（giant fibroadenoma）といわれる。

  注1：巨大線維腺腫は若年性線維腺腫（juvenile fibroadenoma）ともいわれる。
  注2：複合型（乳腺症型）は上皮成分が多いために時として画像で癌腫様の所見を示す。また，細胞診では時として篩状構造を示し悪性と間違われやすい。
  注3：線維腺腫の中に癌が発生することはまれである。

注4：間葉系細胞において，多くの症例で *MED12* の遺伝子変異がある。

B. 葉状腫瘍　Phyllodes tumor（図83〜88）

線維腺腫と同じく乳腺に特有の線維上皮性腫瘍であるが，線維性間質が細胞成分に富み，細胞はしばしば多形性を示し，活発な核分裂像がみられる。上皮成分は悪性像を示さないが，間質の増殖によりしばしば葉状構造をとる。腫瘍は大きいものが多いが，直径5 cm以下のものも少なくない。巨大線維腺腫（giant fibroadenoma）とは区別される。

間質成分は線維組織からなり，しばしば線維肉腫様の形態をとるが，ときに腫瘍組織が軟骨，骨，脂肪，平滑筋あるいは横紋筋への分化を示すことがある。また，粘液腫状を示したり，多形性が著しいこともある。

腫瘍を良性（benign），境界病変（borderline），および悪性（malignant）の3種に区別する。悪性の判定は，間質の細胞密度，細胞異型，核分裂の数，周囲への浸潤形態，間質の一方的増殖などから判断する。局所再発巣には通常は上皮・間葉両成分がみられるが，転移巣は悪性像をもつ間葉成分のみからなる。再発および転移巣では，間葉分化などの点で組織像が原発巣と大きく異なることがある。

非常にまれであるが，悪性葉状腫瘍の上皮成分が癌化を伴う症例があり，真の意味で癌と肉腫が共存する癌肉腫（carcinosarcoma）といえる。

注1：悪性葉状腫瘍の転移は主に血行性で，肺に最も多く，リンパ節転移はまれである。
注2：間葉系細胞において，多くの症例で *MED12* の遺伝子変異，*TERT* 遺伝子のプロモーター領域の変異がある。

C. その他　Others

III. 軟部腫瘍　Soft tissue tumors

乳腺に発生する代表的な軟部腫瘍を記載する。一般的な軟部腫瘍の分類については，悪性軟部腫瘍取扱い規約第4版（日本整形外科学会・日本病理学会編，2023）など他の成書を参照すること。

A. 良性腫瘍および腫瘍様病変　Benign tumors and tumor-like lesions

1. 血管腫　Hemangioma

海綿状血管腫（cavernous hemangioma）の型をとる。毛細血管腫は少ないが，乳腺では血管肉腫が比較的よく分化した形態を示すので，鑑別が困難なことがある。

2. 結節性筋膜炎　Nodular fasciitis

主に皮下浅在筋膜から生ずる線維芽細胞性腫瘍様病変で，ときに乳房に及ぶ。急速に発育して直径1〜2 cmの孤立性結節を形成する。

3. 筋線維芽細胞腫　Myofibroblastoma

　線維芽細胞と筋線維芽細胞への分化を示す乳腺間質に発生する良性腫瘍である。緩徐に発育する。硝子様変化を示す膠原線維を背景に，紡錘形細胞が束状に増殖する。

4. 神経鞘腫　Schwannoma
5. 神経線維腫　Neurofibroma
6. 顆粒細胞腫　Granular cell tumor（図89）

　シュワン細胞から発生する良性の神経腫瘍である。豊富な好酸性顆粒状の細胞質を有する上皮様細胞から構成される。まれな腫瘍であるが，乳腺は好発部位の一つである。

7. 平滑筋腫　Leiomyoma
8. 脂肪腫および血管脂肪腫　Lipoma and angiolipoma
9. その他　Others

　血管腫症（angiomatosis），異型血管病変（atypical vascular lesions），偽血管腫様過形成（pseudoangiomatous stromal hyperplasia）などが挙げられる。

B. 中間群腫瘍　Intermediate tumors

1. デスモイド線維腫症　Desmoid fibromatosis（図90）

　線維芽細胞と筋線維芽細胞への分化を伴った局所浸潤性の紡錘形細胞腫瘍である。

2. その他　Others

　炎症性筋線維芽細胞腫瘍（inflammatory myofibroblastic tumor）などが挙げられる。

C. 悪性腫瘍/肉腫　Malignant tumors/Sarcomas

1. 血管肉腫　Angiosarcoma（図91〜94）

　a. 原発性血管肉腫　Primary angiosarcoma

　　乳腺間質を原発とする悪性血管内皮腫瘍である。組織学的には吻合する不規則な毛細血管の増殖からなるが，しばしば構造異型・細胞異型が弱く，血管腫との鑑別が問題となる。しかし，周囲組織への浸潤性，豊富な細胞成分，壊死などにより悪性の診断が得られる。

　b. 二次性血管肉腫　Secondary angiosarcoma

　　放射線照射後血管肉腫（postradiation angiosarcoma）は，放射線照射後に続発して皮膚や乳腺に発生する血管肉腫である。また，リンパ浮腫随伴血管肉腫（angiosarcoma associated with lymphedema）は，乳房全切除術後の上肢のリンパ浮腫に続発して発生する血管肉腫である。

2. その他　Others

　平滑筋肉腫（leiomyosarcoma），脂肪肉腫（liposarcoma）などが挙げられる。

　　　注1：リンパ浮腫随伴血管肉腫は，Stewart-Treves症候群とも呼ばれる。

注2：本規約第18版まで掲載していた間質肉腫（stromal sarcoma）は，疾患概念が不明確で，WHO 分類などの成書にも記載されていないため，今版では削除した。

IV．リンパ腫および造血器腫瘍　Hematolymphoid tumors

A．悪性リンパ腫　Malignant lymphoma

乳房には，他臓器と同様にあらゆるリンパ腫の組織型がみられる。節外性辺縁帯リンパ腫（MALTリンパ腫）(extranodal marginal zone lymphoma of mucosa-associated lymphoid tissue, MALT lymphoma)，濾胞性リンパ腫（follicular lymphoma），びまん性大細胞型B細胞リンパ腫（diffuse large B-cell lymphoma）の頻度が比較的高く，その他バーキットリンパ腫（Burkitt lymphoma），乳房インプラント関連未分化大細胞型リンパ腫（breast implant-associated anaplastic large cell lymphoma）などがある。これらの細分類についてはWHO 分類やリンパ腫・血液病理の成書などを参照されたい。乳腺原発性リンパ腫と診断する場合には，他部位のリンパ腫が乳腺に波及した二次性リンパ腫を除外する必要がある。

B．その他　Others

急性骨髄性白血病の腫瘤形成性浸潤〔髄外性白血病（extramedullary leukemia）〕や形質細胞腫（plasmacytoma）などが乳房にみられる。

V．転移性腫瘍　Metastatic tumors

他臓器がんの乳腺転移をいう。転移性乳腺腫瘍の原発臓器として，子宮，卵巣，卵管，甲状腺，消化管，肺，耳下腺などがある。組織型は腺癌が多い。乳腺原発と転移性腫瘍を鑑別するために免疫組織化学法が有用なことがある。鑑別に有用な抗体やそれらを用いた診断アルゴリズムについてはWHO 分類等の成書などを参照されたい。

VI．その他　Others

A．いわゆる乳腺症　So-called mastopathy（Fibrocystic breast changes）（図95～99）

乳腺の増殖性変化と退行性変化とが共存する病変であり，変化は乳腺の上皮，間質両成分に起こる。本症の組織学的変化は発生する部位や程度により種々の名称で呼ばれるが，主たるものは次のごとくである。

・通常型乳管過形成（usual ductal hyperplasia）（図95）

乳管上皮の増生を主体とする。上皮は多層性ないし乳頭状に増生して，上皮増殖症（epitheliosis）といわれることもある。

・小葉過形成（lobular hyperplasia）
　異型の乏しい小葉内細乳管上皮の増生である。
・腺　症（adenosis）（図 96〜99）
　乳腺内のある部位に TDLU の増生が顕著に起こり，比較的境界明瞭な腺腫様病巣をつくるものをいう。局所性に密集して増生した乳管は，正常と構造を異にして閉塞乳管のごとくみえるので，閉塞性腺症（blunt duct adenosis）と呼ばれる。また，間質が比較的乏しく，腺管が主体を占めているときは開花期腺症（florid adenosis）といい，間質の線維化が進んで上皮成分の萎縮消失がうかがえるものは硬化性腺症（sclerosing adenosis）と呼ばれる。

　ほかに間質成分の側では，小葉間および小葉内結合織の線維症（fibrosis）が種々の程度に起こり，また乳管の通過障害を起こした結果，大小の嚢胞（cyst）を形成する。この場合，しばしば上皮のアポクリン化生（apocrine metaplasia）を伴う（図 99）。さらに限局性の増殖が結合織および上皮成分に起こり，線維腺腫様の形態を呈することもある〔線維腺腫性過形成（fibroadenomatous hyperplasia）〕。

B. 放射状瘢痕/複雑型硬化性病変　Radial scar/Complex sclerosing lesion（図 100）
　病変中心に弾性線維や膠原線維が存在し，乳管および小葉が引き込まれる良性病変である。
　注：放射状硬化性病変（radial sclerosing lesion）とも呼ばれる。

C. 微小腺管腺症　Microglandular adenosis
　単層の上皮細胞からなる小さな類円形腺管が無秩序に増殖し，それに伴う筋上皮細胞層が存在しない，まれな良性病変である。

D. 過誤腫　Hamartoma（図 101）
　乳房内に周囲との境界明瞭な被膜を有する腫瘤を作る。乳房の組織成分と同一かあるいは一部が欠損した組織からなり，しかも各組織成分の割合が著しく正常と異なるものである。腺脂肪腫（adenolipoma）はその代表的なものであり，一見，脂肪腫様であるが，中に乳腺組織と同様な成分を有する。

E. 炎症性病変　Inflammatory lesions（図 102〜105）
　乳腺炎（mastitis）（急性乳腺炎，肉芽腫性乳腺炎など），膿瘍（abscess），肉芽腫性病変（granulomatous lesion）（異物肉芽腫など），脂肪壊死（fat necrosis），乳管拡張症（duct ectasia）などの種々の病変が含まれる。

F. 粘液瘤様病変　Mucocele-like lesion

　　粘液を貯留した囊胞性病変で，しばしば破綻し，周囲間質に粘液が漏出する。

G. 乳腺線維症　Fibrous disease（図106，107）

　　線維化あるいは硝子化した間質内に萎縮した小葉，乳管が散在性に存在する良性病変である。間質増生に比較して極端に小葉，乳管密度が低い点が特徴とされ，小葉内および小葉，乳管周囲に成熟リンパ球の浸潤を伴うことが多い。

　　注：糖尿病に伴って生じる diabetic mastopathy が含まれる。

H. 女性化乳房症　Gynecomastia（図108）

　　男性乳腺の肥大で，組織学的には浮腫状の線維性間質に囲まれ，乳管上皮の過形成がみられる。

I. 副　乳　Accessory mammary gland（図109）

　　胎生期の乳腺堤線（milk line）にあった乳腺原基の退化不全によって，一対の正常乳腺以外に残存した乳腺組織をいう。腋窩周囲に多くみられる。組織学的には年齢ないし性周期相当の乳腺組織と類似する。乳頭および乳輪を有するものとこれらを欠くものとがある。過剰乳腺組織（supernumerary breast tissue）とも呼ばれる。

　　注：乳腺堤線外の組織に迷入したものを迷入乳腺（aberrant breast tissue）と呼び，副乳とは区別する。異所性乳腺（ectopic breast tissue）は，副乳と迷入乳腺を含む包括的な呼称とされる。

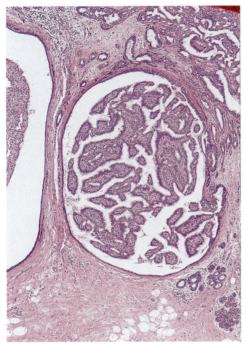

図1　乳管内乳頭腫
線維結合織性の茎をもち，上皮成分は乳管内で乳頭状，樹枝状に増殖している。

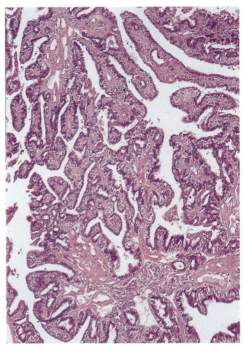

図2　乳管内乳頭腫
上皮は管腔側のやや暗調の細胞と間質側の明るい細胞の2細胞性（2相性）を示している。

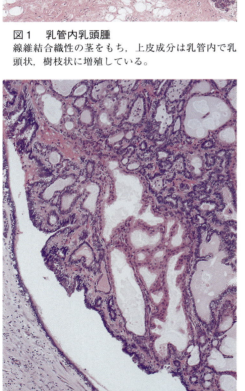

図3　乳管内乳頭腫
アポクリン化生が局所的にみられる場合，乳頭状腫瘍は良性であることが多い。

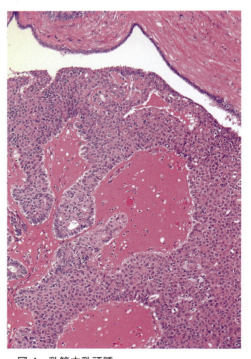

図4　乳管内乳頭腫
上皮成分は著明な増殖性変化を示すことがある。

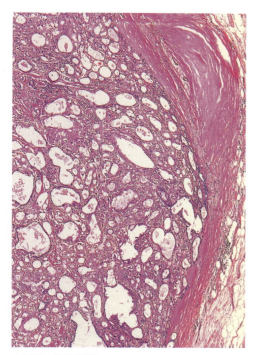

図5　乳管腺腫
比較的境界明瞭な多結節性の腫瘤を形成し，周囲は線維性結合織で取り囲まれる。

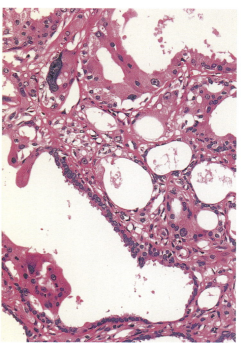

図6　乳管腺腫
硬化性変化が主体で，上皮細胞はアポクリン化生を伴うことが多く，核は腫大し核小体が目立つ。

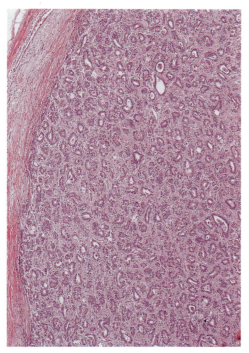

図7　管状腺腫
限局性の結節を形成する。上皮細胞は2細胞性を示し，間質の結合織は少ない。

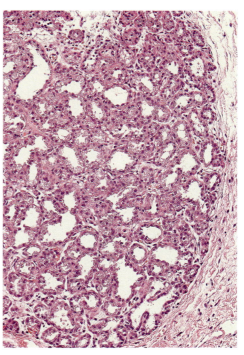

図8　授乳性腺腫
限局性結節を呈し，分泌性変化を伴う管状腺房構造を示す。

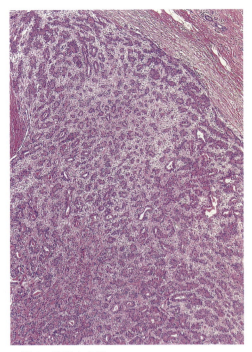

図9　腺筋上皮腫
周囲が線維性結合織で取り囲まれる境界明瞭な多結節性の腫瘤を形成する。

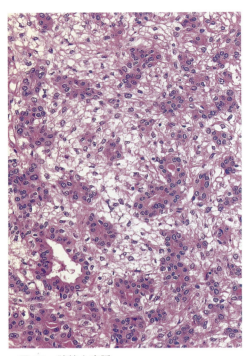

図10　腺筋上皮腫
乳管上皮細胞と筋上皮細胞の2種類の上皮細胞より構成され，主体は筋上皮細胞の増生である。

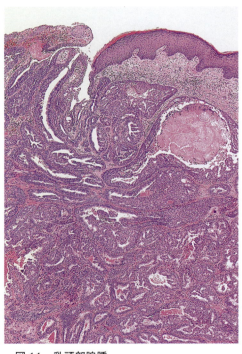

図11　乳頭部腺腫
病変が乳頭部にあるとき，その旺盛な発育により表皮を破壊することがある。

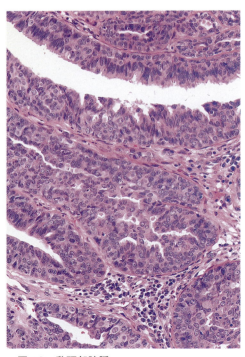

図12　乳頭部腺腫
上皮成分は著明な増殖性変化を示す。

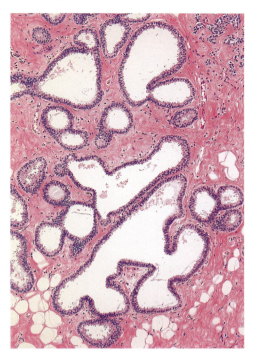

図13　平坦型上皮異型
終末細乳管（腺房）の拡張がみられる。

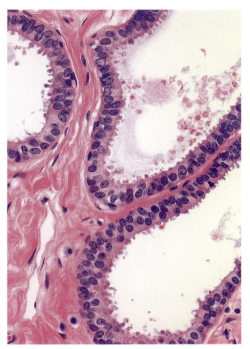

図14　平坦型上皮異型
強拡大では，円柱上皮細胞は比較的均一な円形核を有し，2層程度の核の配列がみられる。核の重なりは乏しい。

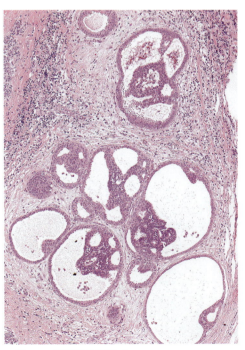

図15　異型乳管過形成
異型細胞が複数の腺管にみられるが，2 mm以下の範囲である。

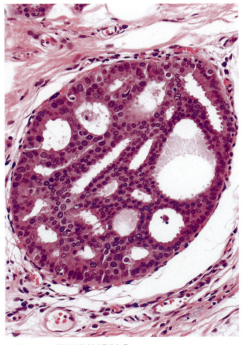

図16　異型乳管過形成
癌との鑑別を要する異型腺管が2 mm以下の範囲にみられる。

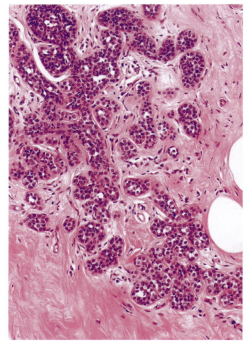

図17　異型小葉過形成
異型上皮細胞が，小葉内の細乳管（腺房）にみられるが，小葉の拡大はみられない。

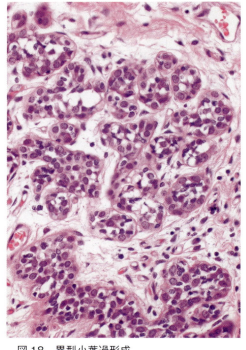

図18　異型小葉過形成
異型上皮細胞は，特徴的な円形核を有し，細胞接着性が低い。

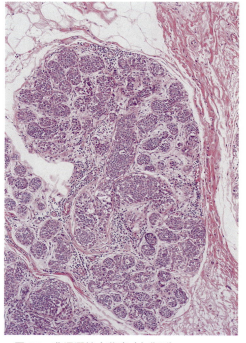

図19　非浸潤性小葉癌（古典型）
小葉腺房を埋める細胞数の増加をみるが，小葉はその本来の形を保っている。

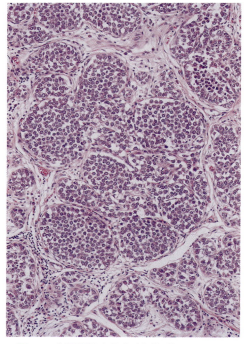

図20　非浸潤性小葉癌（古典型）
小葉腺房内で増殖する細胞は均一な小型円形核をもち，極性はみられない。

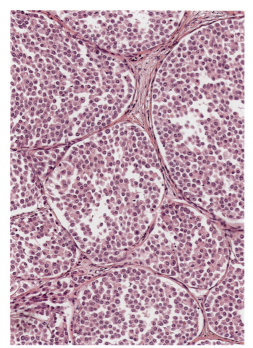

図21　非浸潤性小葉癌（開花型）
古典型非浸潤性小葉癌相当の癌細胞の増殖により，終末乳管小葉単位の著明な拡張を示す。小葉間間質に乏しい。

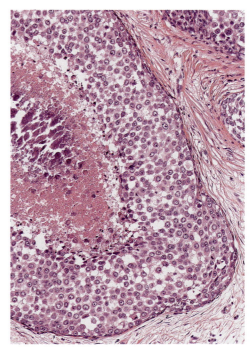

図22　非浸潤性小葉癌（多形型）
結合性に乏しい多形な癌細胞からなる拡張した小葉内の中心部に，ときに面疱状の変性・壊死をみる。

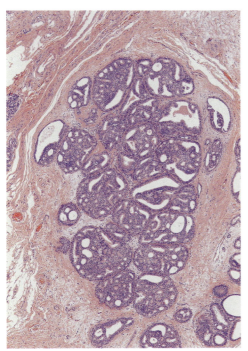

図23　非浸潤性乳管癌（篩状型）
篩状構造を示す癌巣が乳管内に限局し，間質への浸潤はない。

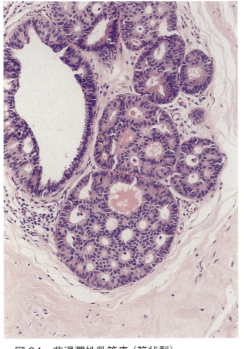

図24　非浸潤性乳管癌（篩状型）
細胞が篩の目に向かって極性を示して配列している。図95と比較して，腺腔はほぼ均等に分布している。

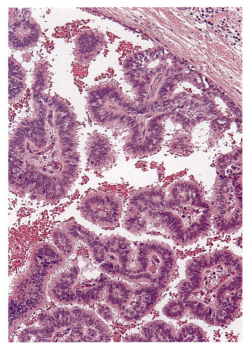

図25　非浸潤性乳管癌（乳頭型）
濃染した核をもつ癌細胞が線維血管性間質に釘さし状に配列し，乳管内で乳頭状の増殖を示す。

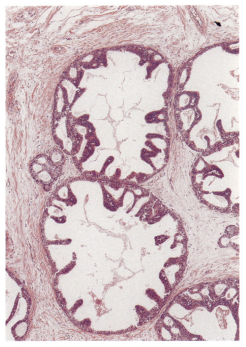

図26　非浸潤性乳管癌（微小乳頭型）
乳管内で細胞が乳頭状の突出や橋渡し構造をとり増殖する。

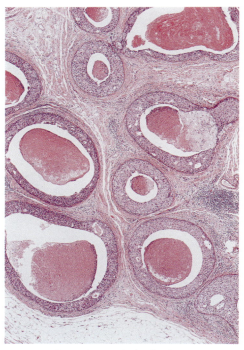

図27　非浸潤性乳管癌（面疱型）
乳管内進展性の癌巣中心部が変性，壊死に陥り，面疱状の構造をとる。

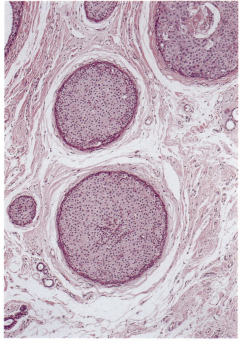

図28　非浸潤性乳管癌（充実型）
管内で充実性に増殖する細胞の核は丸く，細胞境界明瞭で敷石状に配列する。

第 1 章　乳腺腫瘍の組織学的分類　　*47*

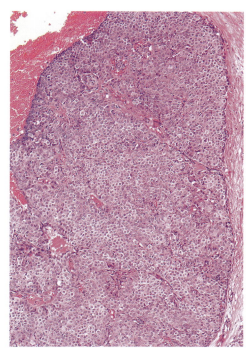

図 29　非浸潤性充実乳頭癌
管内には，微細な線維血管性間質を有する乳頭状構造と癌細胞の充実性増殖が認められる。

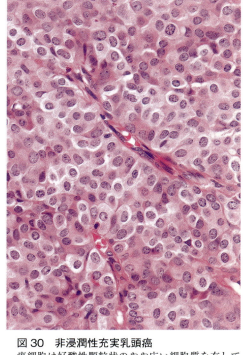

図 30　非浸潤性充実乳頭癌
癌細胞は好酸性顆粒状のやや広い細胞質を有している。

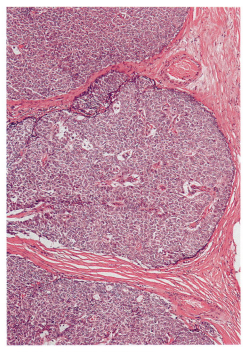

図 31　非浸潤性充実乳頭癌
境界明瞭な丸みを帯びた輪郭を有する癌胞巣を認める。線維血管性間質が目立つ。

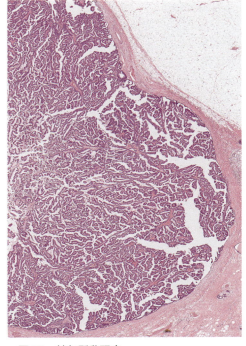

図 32　被包型乳頭癌
細い線維血管性間質を伴う乳頭状増殖を示す癌細胞が線維性被膜に被包されている。

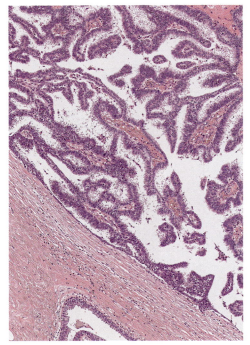

図33　被包型乳頭癌
線維性に被包された腫瘍辺縁には筋上皮細胞が欠如している。写真下方の乳管には筋上皮細胞がみられる。

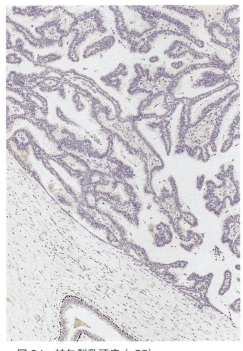

図34　被包型乳頭癌（p63）
腫瘍辺縁にはp63の発現を認めない。内因性コントロール部の下方の乳管にはp63陽性の筋上皮細胞を認める。

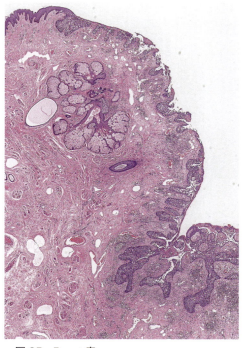

図35　Paget病
腺癌細胞が乳頭表皮内に進展している。表皮の一部はびらん状である。

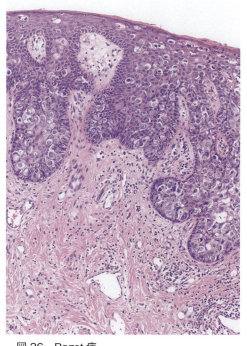

図36　Paget病
表皮内のPaget細胞は大型の明るい泡沫状の細胞質と大きく目立つ核をもつ。

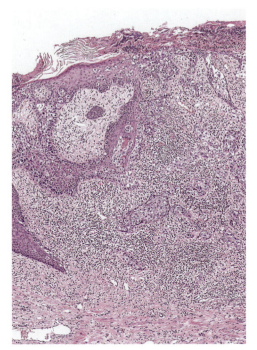

図37　Paget病
Paget細胞が乳頭直下の真皮に浸潤している。

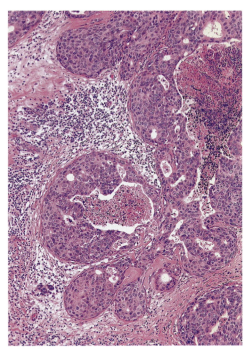

図38　微小浸潤癌
癌細胞の大部分は乳管小葉系の中に存在し，間質浸潤はわずかである。

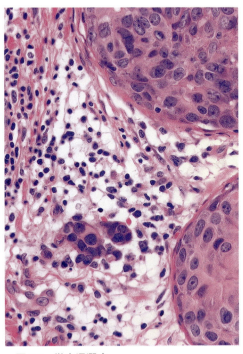

図39　微小浸潤癌
癌細胞の小胞巣が間質内にみられ，その大きさは1 mm以下である。

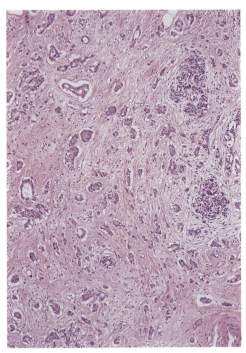

図40　浸潤性乳管癌
癌細胞は個々ばらばら，小塊状，索状，小腺腔形成性に間質浸潤している。

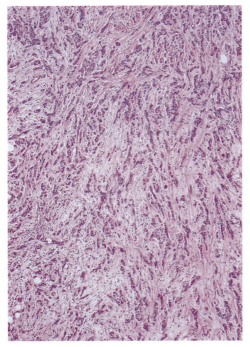

図 41　浸潤性乳管癌
索状配列を示す癌細胞が，高度な線維化を伴い間質に浸潤している。

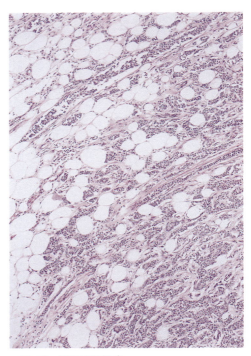

図 42　浸潤性乳管癌
索状ないし小塊状の癌細胞が，乳腺周囲の脂肪組織へ高度の浸潤を示している。

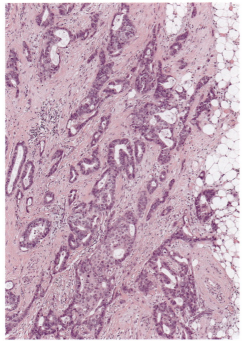

図 43　浸潤性乳管癌
腺腔形成性，管状の癌胞巣が線維成分を伴い，乳腺周囲脂肪織に浸潤している。

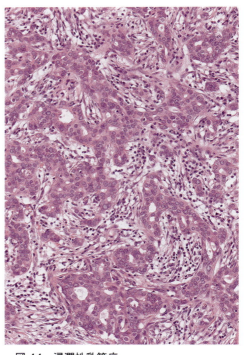

図 44　浸潤性乳管癌
腺腔が融合した癌胞巣がリンパ球を伴い，間質に浸潤している。

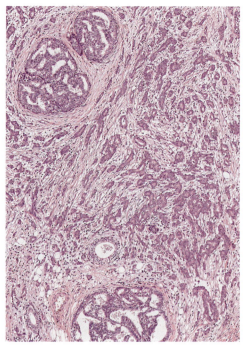

図45 浸潤性乳管癌
乳管内癌巣周囲に，小型腺腔を示す癌胞巣の間質浸潤を認める。

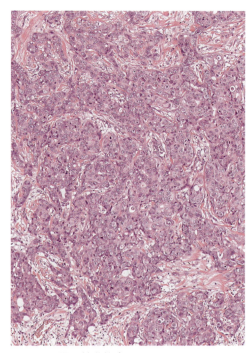

図46 浸潤性乳管癌
大型で核異型を有する，充実性の癌胞巣が比較的圧排性の浸潤を示す。

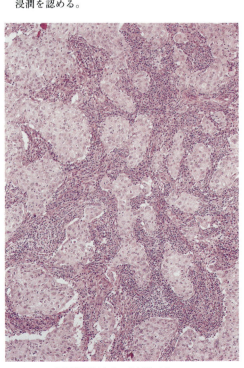

図47 浸潤性乳管癌　髄様パターン
極性をまったく示さない充実性髄様の癌胞巣の周囲に，高度のリンパ球浸潤をみる。

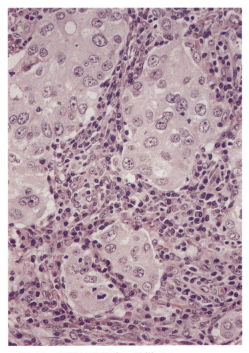

図48 浸潤性乳管癌　髄様パターン
癌細胞は大型で胞体は明るく，核には核小体が目立つ。核分裂像を多くみる。

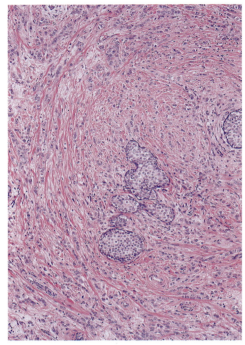

図49　浸潤性小葉癌
間質にびまん性に浸潤する癌細胞と，小葉内の癌細胞は同じ形態をとり小型円形である。

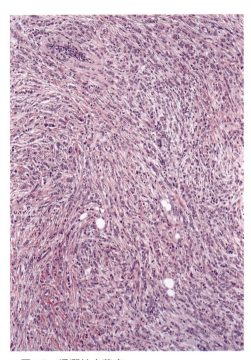

図50　浸潤性小葉癌
塊状や腺腔形成を示さない小型円形均一の細胞が，一列ないし索状に浸潤する。

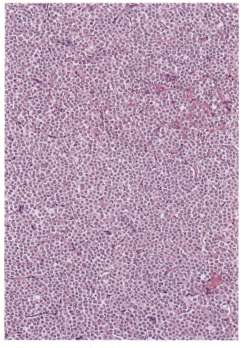

図51　浸潤性小葉癌
充実型と呼ばれるものである。癌細胞は密に混みあって充実性胞巣を形成するが，細胞の接着性は緩い。

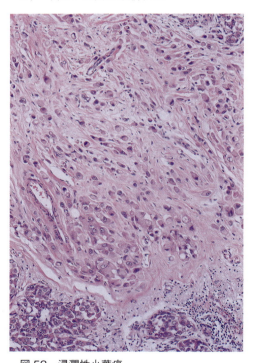

図52　浸潤性小葉癌
高度胞体内粘液産生の例では印環細胞型となる。小葉内癌細胞も同一の形態をとる。

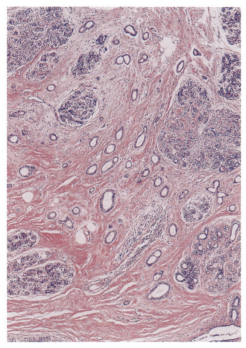

図53　管状癌
小型で円形ないしは楕円形の管状腺管が，間質への浸潤を示して増殖する。

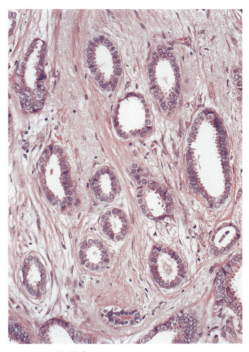

図54　管状癌
管状腺管を構成する癌細胞は1層であり，極めて高分化で異型も少なくみえる。

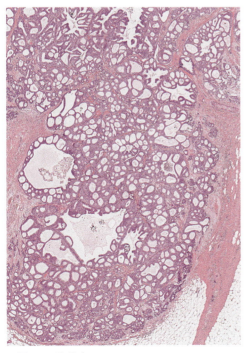

図55　篩状癌
非浸潤性乳管癌（篩状型）の「ふるい」に似た構造を示す癌胞巣の浸潤を認める。

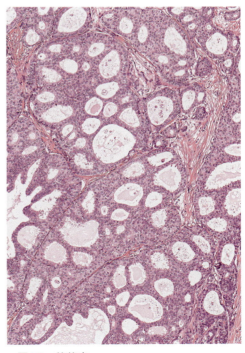

図56　篩状癌
浸潤部の癌胞巣で，低異型度の癌細胞は明瞭な篩状構造を示している。

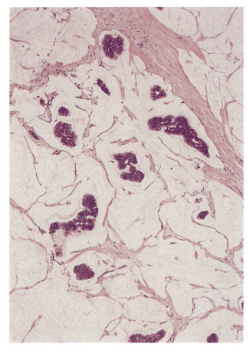

図57　粘液癌
癌細胞の粘液分泌が高度なため，小さな癌胞巣が粘液中に浮遊しているようにみえる（A型）。

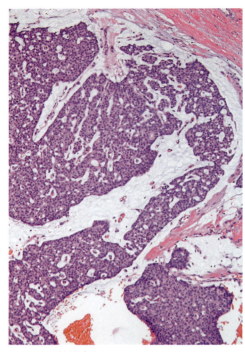

図58　粘液癌
大きな癌胞巣周囲に粘液分泌がみられる（B型）。

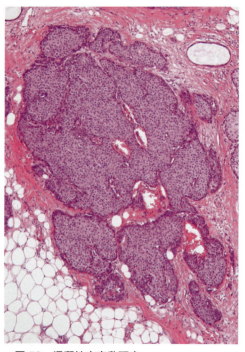

図59　浸潤性充実乳頭癌
多数の線維血管性間質を伴う癌胞巣が，不規則な形状を示しながら全体として浸潤を示す。

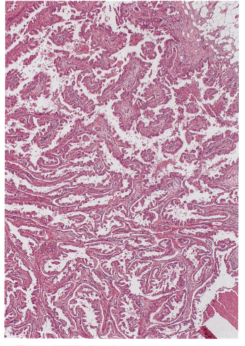

図60　浸潤性乳頭癌
線維血管性間質を軸に乳頭状増殖を示す癌胞巣の間質浸潤を認める。

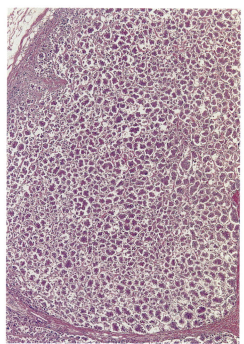

図 61　浸潤性微小乳頭癌
種々の形の腫瘤を呈するが，本例は比較的境界明瞭な腫瘤を形成している。

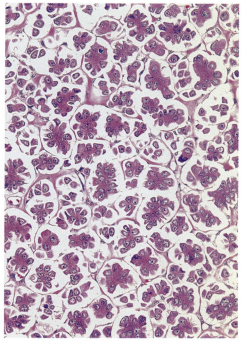

図 62　浸潤性微小乳頭癌
血管茎を伴わない偽乳頭状構造を示す癌細胞の集塊を，間質の裂隙中に認める。

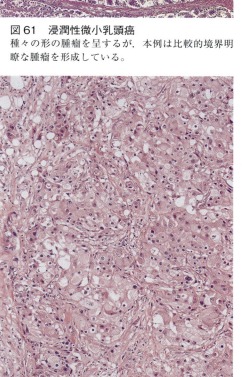

図 63　アポクリン癌
胞体はふっくらと豊かでエオジン好性であり，アポクリン化生上皮に似ている。

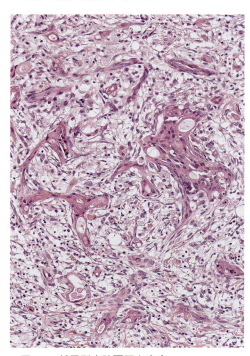

図 64　低異型度腺扁平上皮癌
線維性間質を背景に腺管構造および扁平上皮構造が混在している。

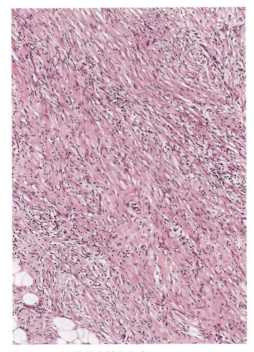

図 65　線維腫症様化生癌
周囲に膠原線維性間質を伴い異型の乏しい紡錘形細胞が増殖している。

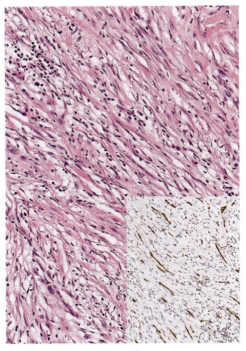

図 66　線維腫症様化生癌
CK14（インセット）が索状の紡錘型腫瘍細胞に陽性像を示す。

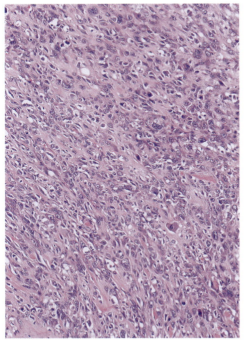

図 67　紡錘細胞癌
細胞は紡錘形で異型が強く，核分裂像も多くみられ，像としては肉腫様である。

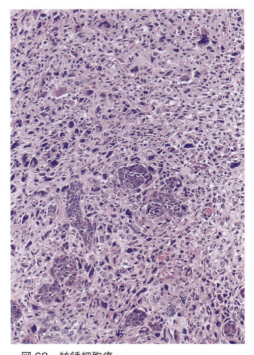

図 68　紡錘細胞癌
上皮性性格の明らかな癌胞巣がみられ，そこから肉腫様細胞への移行をみる。

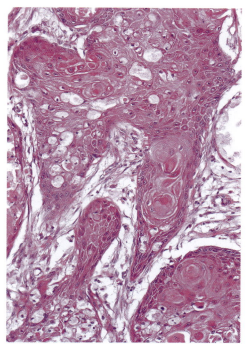

図 69　扁平上皮癌
癌胞巣内に癌真珠と明らかな細胞間橋がみられる。典型的な高分化型の扁平上皮癌。

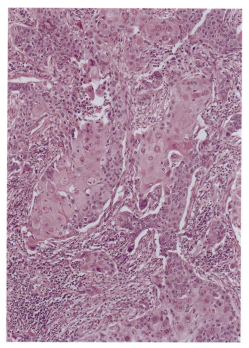

図 70　扁平上皮癌
癌細胞は大型多角形で，胞体はエオジン好性で，角化がみられる。

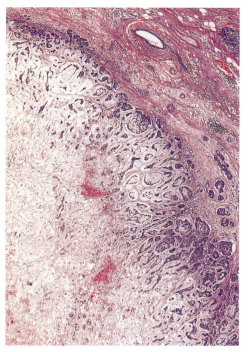

図 71　基質産生癌
比較的境界明瞭な多結節性の腫瘤を形成する。

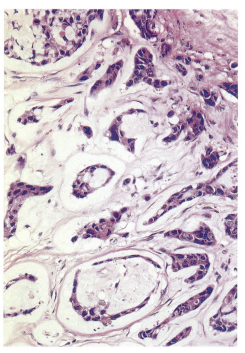

図 72　基質産生癌
癌腫成分と基質成分の間に，紡錘細胞成分や破骨細胞成分の介在がみられない。

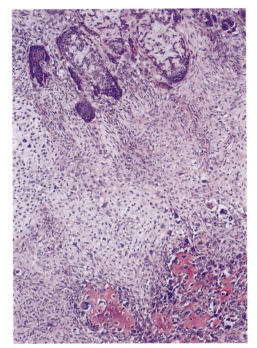

図73　骨・軟骨化生を伴う癌　骨化部分
上皮性性格の明らかな癌巣のほかに骨化生像がみられる。

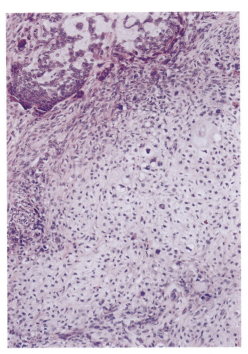

図74　骨・軟骨化生を伴う癌　軟骨化部分
癌巣に移行する軟骨化生像がみられる。

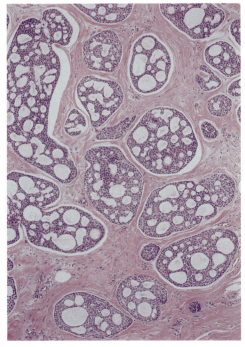

図75　腺様囊胞癌
組織像は唾液腺等にみられるものと同じである。腔は真の腺腔と偽腺腔よりなる。

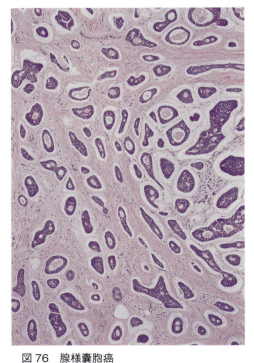

図76　腺様囊胞癌
一見すると，腺腔様の腺様囊胞をもつ癌胞巣が間質に硬性の浸潤を示している。

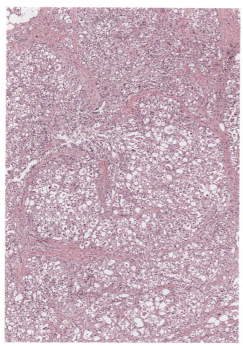

図77　分泌癌
癌細胞は胞体内外に旺盛な分泌活動を示す。

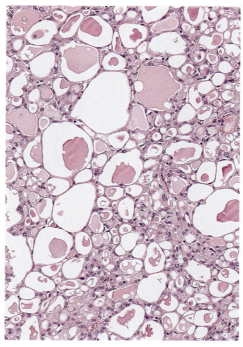

図78　分泌癌
胞体内，微小嚢胞内に旺盛な分泌物を容れた癌細胞の増殖を認める。

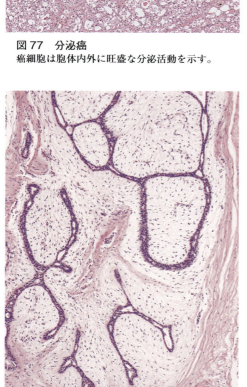

図79　線維腺腫
管内型。浮腫状の間質成分によって乳管は圧迫され分枝管状となる。

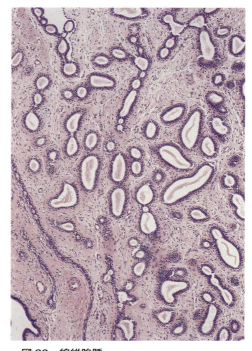

図80　線維腺腫
管周囲型。円形管腔状の上皮成分の周囲を取り囲んで線維成分の増生をみる。

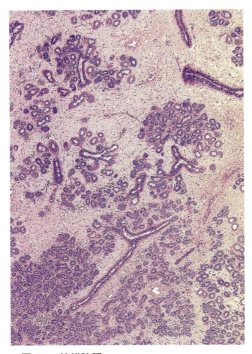

図81 線維腺腫
類臓器型。上皮成分が小葉構造までの分化を示す。

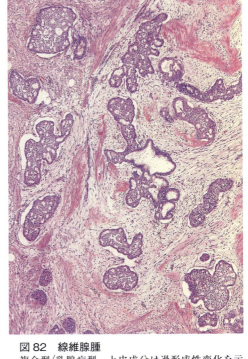

図82 線維腺腫
複合型/乳腺症型。上皮成分は過形成性変化を示している。

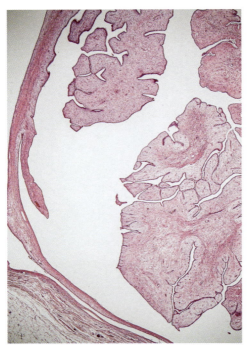

図83 良性葉状腫瘍
囊胞様構造内に葉状構造を示す。

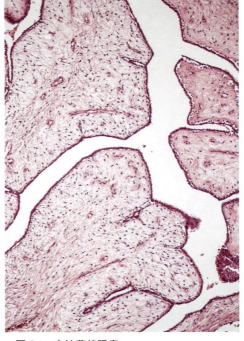

図84 良性葉状腫瘍
1層の上皮に覆われた間質が増生を示し，葉状の突起を形成している。間質細胞の密度は低い。

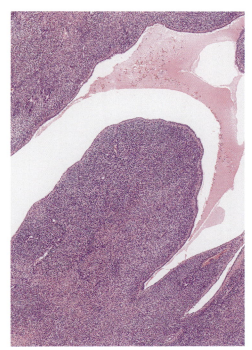

図85 悪性葉状腫瘍
葉状突起内に腫瘍性間質細胞の密な増殖を示す。

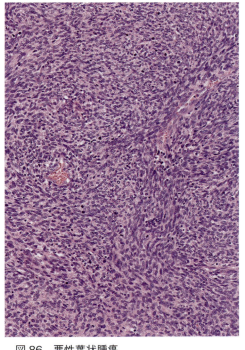

図86 悪性葉状腫瘍
細胞密度の高い間質細胞が錯綜しながら増殖している。

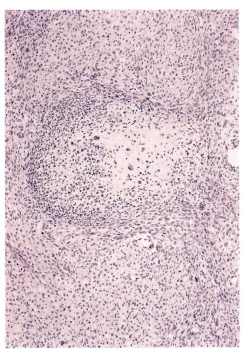

図87 悪性葉状腫瘍
腫瘍性間質の軟骨分化を示す。

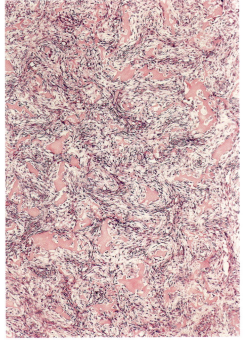

図88 悪性葉状腫瘍
骨肉腫様の間質を示す。

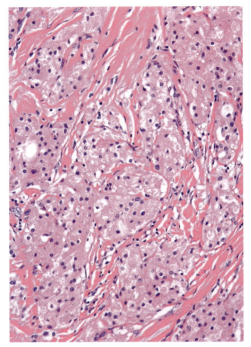

図89 顆粒細胞腫
豊富な顆粒状細胞質をもつ細胞の増殖を示す。

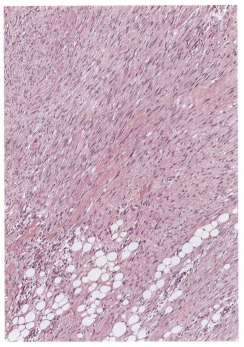

図90 デスモイド線維腫症
線維組織束が脂肪組織への浸潤性発育を示す。

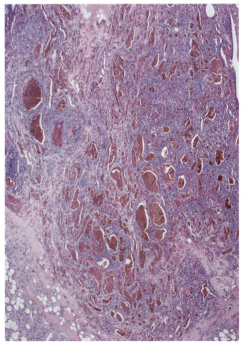

図91 原発性血管肉腫
大小の血管腔内に血液成分を容れた腫瘍細胞の増殖を示す。

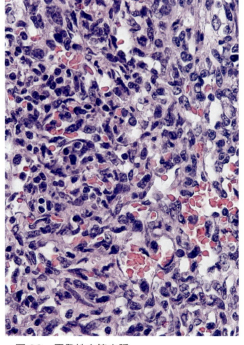

図92 原発性血管肉腫
赤血球を含み,異型を示す血管内皮細胞が小型な腔を形成しながら増殖している。

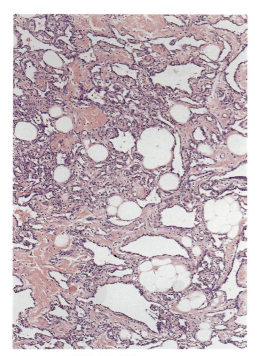

図93　原発性血管肉腫
一見良性を思わせる像をとることがある。

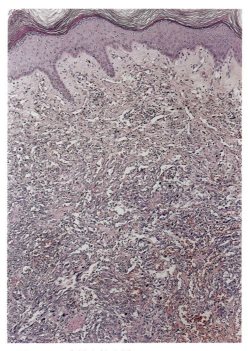

図94　二次性血管肉腫
12年前に手術を行った例。上腕皮膚から皮下に不規則に吻合する管腔がみられる。

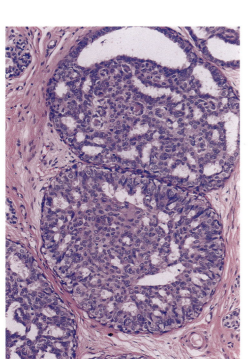

図95　いわゆる乳腺症（通常型乳管過形成）
乳管内に大小不規則な腺腔形成を示す細胞が密に増生している（図24参照）。

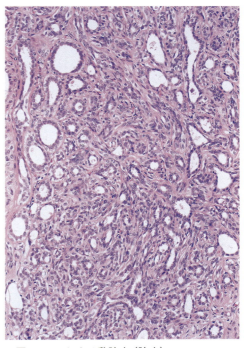

図96　いわゆる乳腺症（腺症）
開花期腺症。硬化性腺症の開花期のもの。腺房と終末乳管の増生をみる。

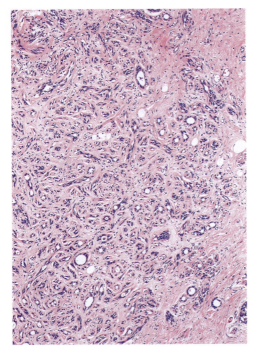

図97　いわゆる乳腺症（腺症）
硬化性腺症。開花期から硬化期になると乳管の萎縮と線維成分の増生をみる。

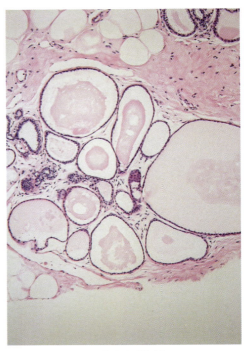

図98　いわゆる乳腺症（腺症）
閉塞性腺症。盲管に終わる小乳管の増生で、拡張乳管が蜂窩状小結節をつくる。

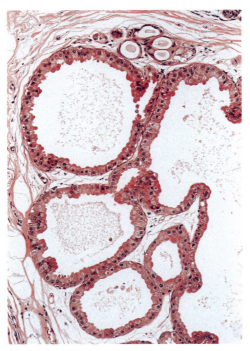

図99　いわゆる乳腺症（アポクリン化生）
アポクリン嚢胞。上皮細胞はアポクリン汗腺に類似してエオジン好性に赤染する。

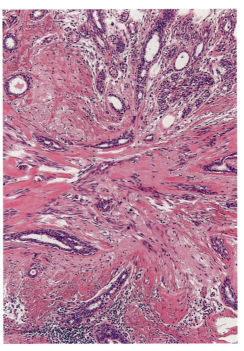

図100　放射状瘢痕/複雑型硬化性病変
異型のない上皮成分と硝子化した間質が、放射状の増生を示す。

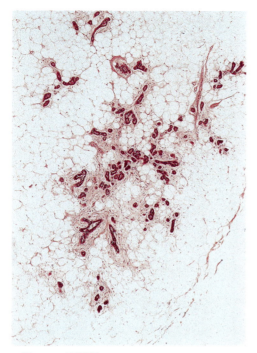

図 101　過誤腫
腺脂肪腫。全体的には脂肪腫様であるが，中に乳腺組織と同様の成分をみる。

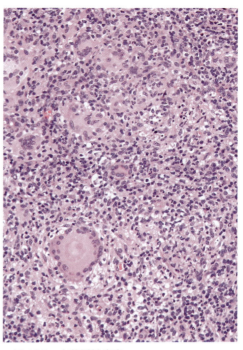

図 102　肉芽腫性病変
類上皮細胞，ラングハンス巨細胞が認められる。

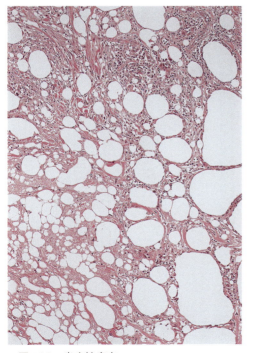

図 103　炎症性病変
脂肪壊死。変性・壊死に陥った脂肪細胞を中心に線維化と巨細胞がみられる。

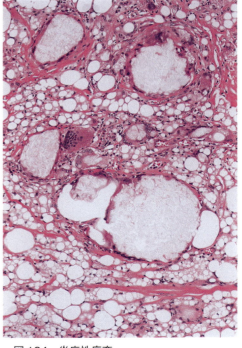

図 104　炎症性病変
パラフィン腫。豊胸術目的で注入された油性物質に対する異物肉芽腫が形成されている。

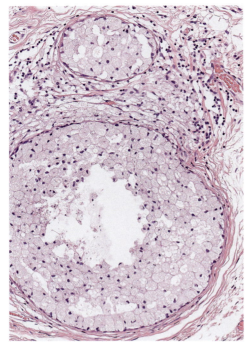

図 105　乳管拡張症
拡張した乳管内外に組織球の集簇をみる。

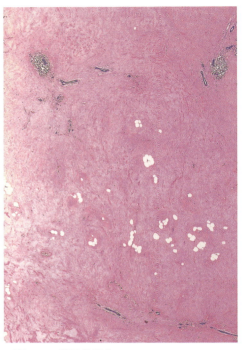

図 106　乳腺線維症
線維化あるいは硝子化した間質内に萎縮した小葉，乳管が散在性に存在する。

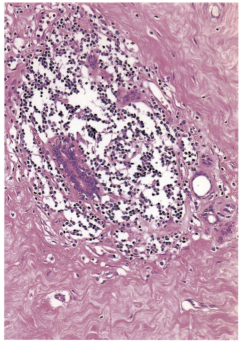

図 107　乳腺線維症
小葉内および小葉，乳管周囲に成熟リンパ球の浸潤を伴うことが多い。

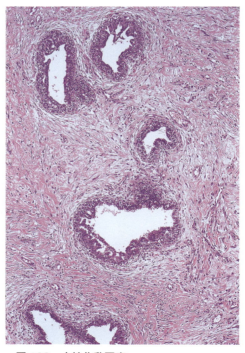

図 108　女性化乳房症
管周囲型線維腺腫に似る。間質はやや浮腫状，上皮はやや乳頭状増生を示す。

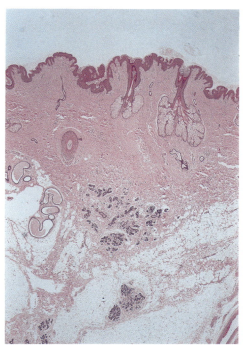

図 109 副 乳
腋窩の皮下腫瘤としてみられたもので，乳管と小葉からなる乳腺組織をみる。

表 1　乳頭状腫瘍の病理組織学的・免疫組織学的特徴

	乳管内乳頭腫 Intraductal papilloma	非浸潤性乳管癌, 乳頭型 DCIS, papillary type (Papillary DCIS)	被包型乳頭癌 Encapsulated papillary carcinoma	非浸潤性充実乳頭癌 Solid papillary carcinoma in situ	浸潤性充実乳頭癌 Invasive solid papillary carcinoma	浸潤性乳頭癌 Invasive papillary carcinoma
腫瘍の数（局在）	孤在性（中枢性）あるいは多発性（末梢性）	多発性	孤在性	孤在性あるいは多発性	孤在性あるいは多発性	孤在性
乳頭状構造	全体的に幅広い鈍な乳頭状構造	細い乳頭状構造，ときに分枝	多数の細い乳頭状構造，ときに分枝	不明瞭かつ繊細な，ときに広い線維血管性間質を伴う充実性増殖	不明瞭かつ繊細な，ときに広い線維血管性間質を伴う充実性増殖	線維血管性間質を伴う乳頭状浸潤
筋上皮細胞	腫瘍全体，辺縁に存在	乳頭状構造部で欠如あるいは減少して存在；乳管辺縁では減少して存在	通常は腫瘍全体，辺縁ともに欠如	腫瘍胞巣内あるいは乳管辺縁に存在あるいは欠如	腫瘍全体に欠如	腫瘍全体に欠如
上皮細胞	多彩な非腫瘍細胞集団（乳管上皮細胞，通常型乳管過形成，アポクリン化生・過形成など）	腫瘍全体が低～中異型度（まれに高異型度）DCISの構造，細胞所見を示す　細い線維血管性間質に沿った1層の増殖を示す	腫瘍全体が低～中異型度DCISの構造，細胞所見を示す　細い線維血管性間質に沿った1層の増殖や，隣接する乳頭の融合による篩状，微小乳頭状，充実性パターンを示し得る　腫瘍はよく発達した線維性被膜に被包される	低～中核異型度相当のDCISが主に充実性増殖を示す　しばしば紡錘形細胞や神経内分泌細胞への分化，粘液産生を認める　境界平滑で円形な輪郭を持つ結節を示す（しばしば複数）	通常，低～中核異型度の癌細胞が主に充実性増殖を示す。　線維血管性間質を伴う癌細胞巣の辺縁は不整となり，地図状のジグザグパズル様パターンを呈する	癌細胞は低，中等度，まれに高異型度を示す　線維血管性間質を伴う浸潤性の乳頭状増殖が>90％を占める
筋上皮マーカー（p63など） 乳頭状部	陽性	陰性あるいは減少	陰性	陰性あるいは陽性	陰性	陰性
筋上皮マーカー（p63など） 辺縁	陽性	陽性	通常陰性	陰性あるいは陽性	陰性	陰性
高分子ケラチン〔サイトケラチン（CK）5/6, CK14など〕	陽性：－筋上皮細胞－通常型過形成（不均一発現）陰性：アポクリン化生	陰性：腫瘍細胞 陽性：筋上皮細胞	陰性：腫瘍細胞	陰性：腫瘍細胞	陰性：腫瘍細胞	陰性：腫瘍細胞
ER, PgR, HER2		ER：びまん強陽性, PgR：不定	ER：びまん強陽性, PgR：不定	ER：びまん強陽性, PgR：不定	ER：びまん強陽性, PgR：不定, HER2：陰性	ER, PgR, HER2：不定
その他				chromograninやsynaptophysinなど神経内分泌マーカーの発現が高頻度	chromograninやsynaptophysinなど神経内分泌マーカーの発現が高頻度	

＊浸潤を伴う被包型乳頭癌では，被包化された乳頭状腫瘍および線維性被膜を越えた明らかな浸潤巣の双方で，通常筋上皮細胞が欠如し，筋上皮マーカーが陰性である〔図110 (HE)，111 (p63)〕。
＊浸潤を伴う充実乳頭癌では，浸潤部に加えて，形態的に丸みを帯びた非浸潤部でも筋上皮細胞が欠如することがある。
＊浸潤を伴う被包型乳頭癌，浸潤を伴う充実乳頭癌において，明らかな浸潤巣の長径をpTとする。

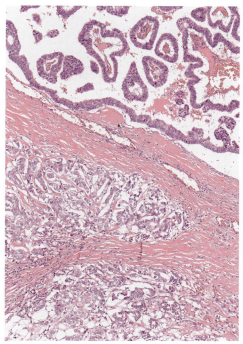

図110　浸潤を伴う被包型乳頭癌（HE）
被包化された乳頭状腫瘍（写真上）と線維性被膜を越えた明らかな浸潤巣（写真下）を認める。

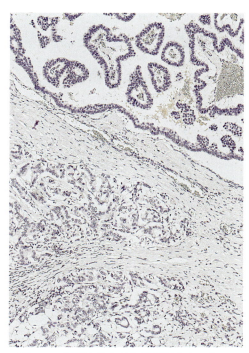

図111　浸潤を伴う被包型乳頭癌（p63）
被包化された乳頭状腫瘍および線維性被膜を越えた浸潤巣の双方で，筋上皮マーカーのp63が陰性である。

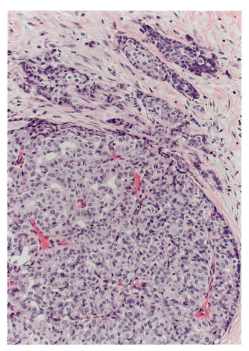

図112　浸潤を伴う充実乳頭癌
非浸潤性充実乳頭癌（写真下）に明らかな浸潤巣（写真上）を認める。

WHO 組織型分類と取扱い規約分類との対比表

WHO 組織分類	ICD-O コード		取扱い規約分類
Epithelial tumors			
Benign epithelial proliferations and precursors			
Usual ductal hyperplasia		VI-A	いわゆる乳腺症（通常型乳管過形成）
Columnar cell lesions, including flat epithelial atypia		I-B-1	円柱状細胞病変［平坦型上皮異型を含む］
Atypical ductal hyperplasia		I-B-2	異型乳管過形成
Adenosis and benign sclerosing lesions			
Sclerosing adenosis		VI-A	いわゆる乳腺症（腺症［硬化性腺症］）
Apocrine adenosis and adenoma	8401/0	I-A-7	その他（アポクリン腺腫）
Microglandular adenosis		VI-C	微小腺管腺症
Radial scar/complex sclerosing lesion		VI-B	放射状瘢痕/複雑型硬化性病変
Adenomas			
Tubular adenoma	8211/0	I-A-3	管状腺腫
Lactating adenoma	8204/0	I-A-4	授乳性腺腫
Ductal adenoma	8503/0	I-A-2	乳管腺腫
Epithelial-myoepithelial tumors			
Pleomorphic adenoma	8940/0	I-A-7	その他（多形腺腫）
Adenomyoepithelioma	8983/0	I-A-5	腺筋上皮腫
Malignant adenomyoepithelioma	8983/3	I-A-5	腺筋上皮腫（悪性成分を伴う腺筋上皮腫，あるいは悪性腺筋上皮腫）
Papillary neoplasms			
Intraductal papilloma	8503/0	I-A-1	乳管内乳頭腫
Papillary ductal carcinoma in situ	8503/2	I-D-1-a	非浸潤性乳管癌（乳頭型）
Encapsulated papillary carcinoma	8504/2	I-D-1-c	被包型乳頭癌
Encapsulated papillary carcinoma with invasion	8504/3	I-D-1-c	被包型乳頭癌（浸潤を伴う被包型乳頭癌）
Solid papillary carcinoma in situ	8509/2	I-D-1-b	非浸潤性充実乳頭癌
Solid papillary carcinoma with invasion	8509/3	I-D-2-c-(5)	浸潤性充実乳頭癌
Invasive papillary carcinoma	8503/3	I-D-2-c-(6)	浸潤性乳頭癌
Non-invasive lobular neoplasia			
Atypical lobular hyperplasia		I-C-1	異型小葉過形成
Lobular carcinoma in situ	8520/2	I-C-2	非浸潤性小葉癌
Lobular carcinoma in situ, classic	8520/2	I-C-2-a	非浸潤性小葉癌，古典型
Lobular carcinoma in situ, florid	8520/2	I-C-2-b	非浸潤性小葉癌，開花型
Lobular carcinoma in situ, pleomorphic	8519/2	I-C-2-c	非浸潤性小葉癌，多形型
Ductal carcinoma in situ			
Ductal carcinoma in situ	8500/2	I-D-1-a	非浸潤性乳管癌
Invasive breast carcinoma			
Invasive breast carcinoma of no special type (IBC-NST)	8500/3	I-D-2-b	浸潤性乳管癌
Mixed IBC-NST		I-D-2	混合型
Medullary pattern		I-D-2-b	浸潤性乳管癌（髄様パターン）
Invasive carcinoma with neuroendocrine differentiation		I-D-2-b	浸潤性乳管癌（神経内分泌分化を伴う癌）
Carcinoma with osteoclast-like stromal giant cells		I-D-2-b	浸潤性乳管癌（破骨細胞様巨細胞を伴う癌）
Pleomorphic pattern		I-D-2-b	浸潤性乳管癌（多形パターン）
Choriocarcinomatous pattern		I-D-2-b	浸潤性乳管癌（絨毛癌様パターン）
Melanotic pattern		I-D-2-b	浸潤性乳管癌（メラニン含有パターン）
Oncocytic pattern	8290/3	I-D-2-b	浸潤性乳管癌（オンコサイトパターン）
Lipid-rich pattern	8314/3	I-D-2-b	浸潤性乳管癌（脂質分泌パターン）
Glycogen-rich clear cell pattern	8315/3	I-D-2-b	浸潤性乳管癌（グリコーゲン淡明細胞パターン）
Sebaceous pattern	8410/3	I-D-2-b	浸潤性乳管癌（脂腺パターン）
Microinvasive carcinoma		I-D-2-a	微小浸潤癌
Invasive lobular carcinoma	8520/3	I-D-2-c-(1)	浸潤性小葉癌
Tubular carcinoma	8211/3	I-D-2-c-(2)	管状癌
Cribriform carcinoma	8201/3	I-D-2-c-(3)	篩状癌

Mucinous carcinoma	8480/3	I-D-2-c-(4)	粘液癌
Mucinous cystadenocarcinoma	8470/3	I-D-2-c-(12)	その他（粘液嚢胞腺癌）
Invasive micropapillary carcinoma	8507/3	I-D-2-c-(7)	浸潤性微小乳頭癌
Carcinoma with apocrine differentiation	8401/3	I-D-2-c-(8)	アポクリン癌
Metaplastic carcinoma	8575/3	I-D-2-c-(9)	化生癌
Low-grade adenosquamous carcinoma		I-D-2-c-(9)-(i)	低異型度腺扁平上皮癌
Fibromatosis-like metaplastic carcinoma		I-D-2-c-(9)-(ii)	線維腫症様化生癌
Spindle cell carcinoma	8032/3	I-D-2-c-(9)-(iii)	紡錘細胞癌
Squamous cell carcinoma	8070/3	I-D-2-c-(9)-(iv)	扁平上皮癌
Metaplastic carcinoma with heterologous mesenchymal differentiation		I-D-2-c-(9)-(v)	異所性間葉系分化を伴う化生癌
Mixed metaplastic carcinomas		I-D-2-c-(9)-(vi)	混合型化生癌
Rare and salivary gland-type tumours			
Acinic cell carcinoma	8550/3	I-D-2-c-(12)	その他（腺房細胞癌）
Adenoid cystic carcinoma	8200/3	I-D-2-c-(10)	腺様嚢胞癌
Secretory carcinoma	8502/3	I-D-2-c-(11)	分泌癌
Mucoepidermoid carcinoma	8430/3	I-D-2-c-(12)	その他（粘表皮癌）
Polymorphous adenocarcinoma	8525/3	I-D-2-c-(12)	その他（多形腺癌）
Tall cell carcinoma with reversed polarity	8509/3	I-D-2-c-(12)	その他（極性反転を伴う高細胞癌）
Neuroendocrine neoplasms			
Neuroendocrine tumour	8240/3	I-D-2-c-(12)	その他（神経内分泌腫瘍）
Neuroendocrine carcinoma	8246/3	I-D-2-c-(12)	その他（神経内分泌癌）
Fibroepithelial tumours and hamartomas of the breast			
Hamartoma		VI-D	過誤腫
Fibroadenoma	9010/0	II-A	線維腺腫
		II-A-1)	線維腺腫　管内型
		II-A-2)	線維腺腫　管周囲型
		II-A-3)	線維腺腫　類臓器型
		II-A-4)	線維腺腫　複合型［乳腺症型］
Phyllodes tumour	9020/0	II-B	葉状腫瘍
Phyllodes tumour, benign	9020/0	II-B	葉状腫瘍，良性
Phyllodes tumour, borderline	9020/1	II-B	葉状腫瘍，境界病変
Phyllodes tumour, malignant	9020/3	II-B	葉状腫瘍，悪性
Tumours of the nipple			
Syringomatous tumour	8407/0	I-A-7	その他（汗管腫様腫瘍）
Nipple adenoma	8506/0	I-A-6	乳頭部腺腫
Paget disease of the breast	8540/3	I-D-1-d	Paget 病
Mesenchymal tumours of the breast			
Vascular tumours			
Hemangioma	9120/0	III-A-1	血管腫
Angiomatosis		III-A-9	その他（血管腫症）
Atypical vascular lesions	9126/0	III-A-9	その他（異型血管病変）
Postradiation angiosarcoma of the breast	9120/3	III-C-1-b	二次性血管肉腫（放射線照射後血管肉腫）
Primary angiosarcoma of the breast	9120/3	III-C-1-a	原発性血管肉腫
Fibroblastic and myofibroblastic tumours			
Nodular fasciitis	8828/0	III-A-2	結節性筋膜炎
Myofibroblastoma	8825/0	III-A-3	筋線維芽細胞腫
Desmoid fibromatosis	8821/1	III-B-1	デスモイド線維腫症
Inflammatory myofibroblastic tumours	8825/1	III-B-2	その他（炎症性筋線維芽細胞腫瘍）
Peripheral nerve sheath tumours			
Schwannoma	9560/0	III-A-4	神経鞘腫
Neurofibroma	9540/0	III-A-5	神経線維腫
Granular cell tumour	9580/0	III-A-6	顆粒細胞腫
Granular cell tumour, malignant	9580/3		
Smooth muscle tumours			
Leiomyoma	8890/0	III-A-7	平滑筋腫
Leiomyosarcoma	8890/3	III-C-2	その他（平滑筋肉腫）
Adipocytic tumours			
Lipoma	8850/0	III-A-8	脂肪腫
Angiolipoma	8861/0	III-A-8	血管脂肪腫

Liposarcoma	8850/3	III-C-2	その他（脂肪肉腫）
Other mesenchymal tumours and tumour-like conditions			
Pseudoangiomatous stromal hyperplasia		III-A-9	その他（偽血管腫様過形成）
Hematolymphoid tumours of the breast			
Lymphoma			
Extranodal marginal zone lymphoma of mucosa-associated lymphoid tissue (MALT lymphoma)	9699/3	IV-A	悪性リンパ腫（節外性辺縁帯リンパ腫［MALT リンパ腫］）
Follicular lymphoma	9690/3	IV-A	悪性リンパ腫（濾胞性リンパ腫）
Diffuse large B-cell lymphoma	9680/3	IV-A	悪性リンパ腫（びまん性大細胞型B細胞リンパ腫）
Burkitt lymphoma	9687/3	IV-A	悪性リンパ腫（バーキットリンパ腫）
Breast implant-associated anaplastic large cell lymphoma	9715/3	IV-A	悪性リンパ腫（乳房インプラント関連未分化大細胞型リンパ腫）
		IV-B	その他（髄外性白血病）
		IV-B	その他（形質細胞腫）
Tumours of male breast			
Epithelial tumours			
Gynaecomastia		VI-H	女性化乳房症
Carcinoma in situ	8500/2		
Invasive carcinoma	8500/3		
Metastasis to the breast		V	転移性腫瘍
WHO 第 5 版の分類カテゴリーにないもの			
Fibrocystic disease（so-called）	7432/0	VI-A	いわゆる乳腺症
Fibrocystic disease（so-called）(Lobular hyperplasia)			いわゆる乳腺症（小葉過形成）
Fibrocystic disease（so-called）(Adenosis)			いわゆる乳腺症（腺症）
Inflammatory lesions (Mastitis)		VI-E	炎症性疾患（乳腺炎）
Inflammatory lesions (Abscess)			炎症性疾患（膿瘍）
Inflammatory lesions (Granulomatous lesion)			炎症性疾患（肉芽腫性病変）
Inflammatory lesions (Fat necrosis)			炎症性疾患（脂肪壊死）
Inflammatory lesions (Duct ectasia)			炎症性疾患（乳管拡張症）
Mucocele-like lesion		VI-F	粘液瘤様病変
Fibrous disease		VI-G	乳腺線維症
Accessory mammary gland		VI-I	副乳

第2章　病理標本の取扱いと記載法

1．切除標本の大きさ

縦，横，高さの3次元で表し，最後の数字を高さ（厚さ）とする。
注：標本を写真撮影している場合は，計測を省略できる。

2．切除標本に対する割の入れ方

　乳房部分切除術の検体では，乳頭と腫瘍を結ぶ線に直角に約5 mm 間隔で割を入れ，すべての病理組織ブロックを作製し，断端検索を行う（図1）。乳房全切除術の検体では，乳頭と腫瘍を結ぶ線と平行に複数の割を入れ，割面の肉眼所見や標本撮影の結果を参考に検索部位を選択し，ブロックを作製する（図2）。乳頭方向に乳管内進展が疑われる症例に対して，乳頭温存乳房全切除術を行った場合は，乳頭直下断端を検索することが望ましい。検索方法には，乳頭直下組織を術中迅速診断に提出する方法と固定後標本から採取する方法（図3）がある。癌の広がり，病変の数，断端と癌との関係などを考慮して，上記とは異なる切り出し方法を選択することも容認される。なお，ホルマリン固定前に検体に

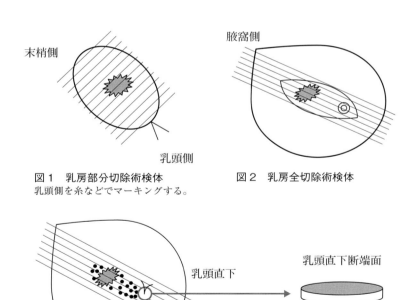

図1　乳房部分切除術検体
乳頭側を糸などでマーキングする。

図2　乳房全切除術検体

図3　乳頭温存乳房全切除術検体
乳頭直下組織を術中迅速診断に提出していない場合は，乳頭直下組織を薄く切離し，断端検体として検索することが望ましい。

割を入れる場合は，固定後の再構築に支障をきたさぬよう十分な配慮が必要である。

　遺伝性乳癌卵巣癌の既発症者に対して，対側のリスク低減乳房切除術が行われた場合の切り出し方法については，現時点で，積極的に勧めるべき方法はなく，各施設の判断に委ねられている。

　　注：「遺伝性乳がん卵巣がん症候群の保険診療に関する手引き」（日本乳癌学会，2020年）にはA（内上部），B（内下部），C（外上部），D（外下部）からサンプリングする方法と，標本すべてからブロックを作製する方法が紹介されている。

3．組織の固定

　摘出された生検検体や手術材料は，速やかに十分量（検体容積の約10倍，大きい検体でも等容積以上）のホルマリン系固定液を用いて固定を行う。直ちに固定の行えない施設にあっても，摘出臓器は冷蔵庫（4℃）等に保管し，3時間程度以内に固定を行うことが望ましい。摘出後30分以上室温で保持することは極力回避する。固定液は10%中性緩衝ホルマリン液が，固定時間は6～72時間が推奨される。

(参考文献)
1) 日本病理学会編．ゲノム研究用・診療用病理組織検体取扱い規程．羊土社，2019．

4．肉眼型分類

　割面の肉眼像あるいはHE標本のいわゆるルーペ像で分類する。
　1) 非腫瘤型（Non-mass type）
　　腫瘍形成の明らかでない病巣。小結節が集簇するものも含む（図4）。
　2) 圧排型（Expansive type）
　　腫瘍を形成し，周囲組織に対して圧排性に増殖している病巣。充実性増殖を示すもの（図5）や囊胞性のもの（図6）が含まれる。
　3) 浸潤型（Infiltrative type）
　　腫瘍を形成し，周囲組織に対して浸潤性に増殖している病巣。辺縁が鋸歯状のものと，周囲組織を巻き込みスピキュラを形成するものが含まれる（図7）。
　4) 混在型/分類不能型（Mixed type/Unclassified type）
　　同一癌巣に上記1) 2) 3) が混在する病巣，あるいは分類不能な病巣。
　　注1：肉眼およびルーペ像で病変が不明瞭なものは分類しない。
　　注2：混在型は存在する型を記載することが望ましい〔例：混在型（非腫瘤型＋圧排型）〕

5．病理学的病期分類

　a. 原発巣の大きさの測定法・記載法
　原発巣の大きさとして最大間質浸潤径を記載する。乳管内癌巣を含めた腫瘍全体の径も記載することが望ましい。

第 2 章 病理標本の取扱いと記載法

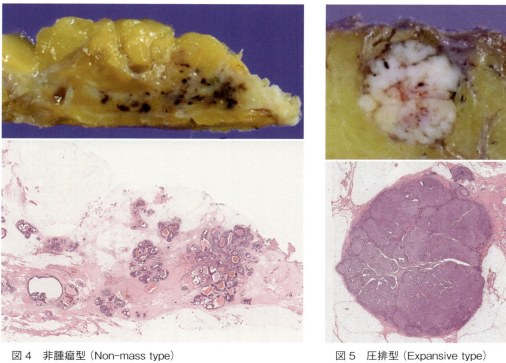

図 4 非腫瘍型（Non-mass type）

図 5 圧排型（Expansive type）

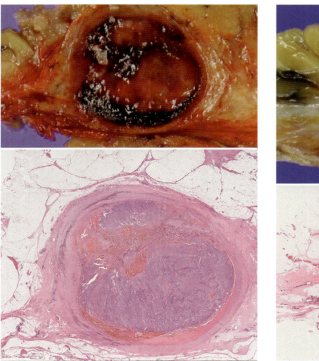

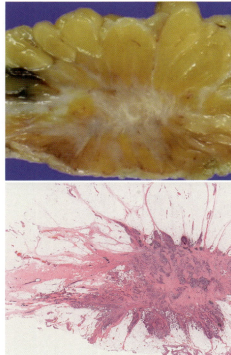

図 6 圧排型（Expansive type）

図 7 浸潤型（Infiltrative type）

1）浸潤径（図8）

下記の計測値を A×B mm の形式で記載する。切り出し方向に直交する広がりが大きい場合には，C を計測してもよい。C を計測した場合，A×B×C mm の形式で記載し，病理学的 T 因子の決定および各種登録には，A または C の大きいほうの値を用いる。

　　A：割面での浸潤巣の最大径
　　B：割面での A に直交する最大径
　　C：切り出し方向に直交する径

2）乳管内癌巣を含めた腫瘍全体の径

1）と同様に A×B mm もしくは A×B×C mm の形式で記載する。

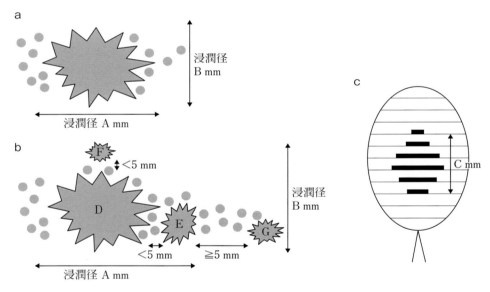

図8　浸潤巣の大きさの測定方法
a：浸潤巣の最大径とそれに直交する径を A×B mm の形式で記載する。
b：複数の浸潤巣が存在する場合はその旨を記載し，最大浸潤巣の大きさを測定する。一連の浸潤巣か，複数の浸潤巣か判断が難しい場合は，2つの浸潤巣が5 mm 未満の距離にあれば一連の浸潤巣とする。例えば，上図では浸潤巣 D，E および F は一連の浸潤巣として浸潤径 A×B mm を記載し，浸潤巣 G は別の浸潤巣として複数の浸潤巣がある旨を付記する。
c：切り出し方向に直交する径は，一連の浸潤巣として肉眼的もしくは組織学的に確実な範囲を計測する。C を計測した場合，A×B×C mm の形式で記載する。画像診断で複数の浸潤巣が連なる場合は，総合的に判断する。

b. 病理学的 T 因子：原発巣

UICC TNM 分類 第 8 版に準拠する。

pTX ：原発腫瘍の評価が不可能

pT0 ：原発腫瘍を認めない

pTis ：非浸潤癌

  pTis（DCIS） ：非浸潤性乳管癌

  pTis（LCIS） ：非浸潤性小葉癌[注1]

  pTis（Paget） ：乳腺実質中に癌がみられない，乳頭表皮に限局した Paget 病[注2)3]

pT1 ：最大径が 20 mm 以下の腫瘍

  pT1mi：最大径が 1 mm 以下の微小浸潤[注4]

  pT1a ：最大径が 1 mm を超えるが 5 mm 以下

  pT1b ：最大径が 5 mm を超えるが 10 mm 以下

  pT1c ：最大径が 10 mm を超えるが 20 mm 以下

pT2 ：最大径が 20mm を超えるが 50mm 以下

pT3 ：最大径が 50mm を超える腫瘍

pT4 ：浸潤径を問わず，胸壁，皮膚（潰瘍または皮膚結節）[注5)〜7] または両者への直接浸潤

  pT4a ：胸壁への浸潤（胸筋のみへの浸潤は含まれない）[注8]

  pT4b ：潰瘍形成，同側乳房の衛星皮膚結節，または皮膚の浮腫（橙皮状皮膚 peau d'orange を含む）[注5)〜7)9]

  pT4c ：上記の 4a と 4b の両方

  pT4d ：炎症性乳癌[注10)11]

注 1：AJCC TNM 分類 第 8 版には，pTis（LCIS）のカテゴリーはない。

注 2：Paget 病を伴った乳腺実質内の癌は，Paget 病の存在を付記したうえで，乳腺実質内の癌の浸潤径および特徴に基づいて分類する。

注 3：表皮内の Paget 細胞が真皮に浸潤した場合の pT 因子は pT4b とせず，浸潤径に基づいて決定する。（TNM Supplement 第 5 版）

注 4：複数の微小浸潤がある場合には，個々の浸潤径を加算せず，多発している旨を付記する。

注 5：真皮への浸潤のみでは pT4b としない。

注 6：潰瘍形成には表皮の欠損による腫瘍の露出を含む。肉眼的に観察できず，顕微鏡的にのみ確認される潰瘍形成も pT4b とする。潰瘍形成を伴わない表皮への浸潤のみでは pT4b としない。（TNM Supplement 第 5 版）

注 7：衛星皮膚結節は，肉眼的かつ顕微鏡的に観察できたものを pT4b とする。顕微鏡的にのみ確認される皮膚結節は pT4b としない。（TNM Supplement 第 5 版）

注 8：胸壁とは，肋骨，肋間筋，前鋸筋であり，胸筋を含まない。

注 9：乳房切除標本では，病理診断時に皮膚の浮腫が明らかでない場合がある。皮膚の浮腫

（pT4b）は，臨床所見を踏まえて総合的に判断する。（TNM Supplement 第5版）

注10：炎症性乳癌は，皮膚のびまん性発赤，浮腫，硬結を特徴とし，その下に明らかな腫瘍を認めないことが多い。腫瘍の増大，進展に伴う局所的な皮膚の発赤や浮腫はこれに含めない。臨床的に炎症性乳癌（cT4d）で，乳房内に原発巣を認めず，かつ皮膚生検でも癌細胞が認められない場合には pTX とする。

注11：pT4d は，臨床的に炎症性乳癌であることが必須である。臨床的に炎症性乳癌でない場合，皮膚真皮のリンパ管侵襲や皮膚浸潤をもって pT4d とはしない。（TNM Supplement 第5版）

c．領域リンパ節転移の測定法・記載法

センチネルリンパ節および郭清リンパ節は，部位別・郭清レベル別に転移個数/検索個数を記載する。リンパ節転移巣の大きさは，最大径を mm 単位で記載する（図9）。1つのリンパ節内に複数の転移巣が存在する場合はその旨を記載し，最大転移巣の大きさを記載する。

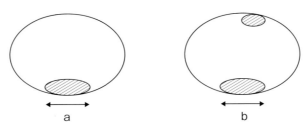

図9　リンパ節転移巣の大きさの測定方法
転移巣の最大径を mm 単位で記載する（a）。
複数の転移巣が存在する場合はその旨を記載し，最大転移巣の大きさを測定する（b）。複数の転移巣の径を合算しない。

d．病理学的 N 因子：領域リンパ節

UICC TNM 分類 第8版に準拠する[注1]。

pNX ：領域リンパ節の評価が不可能（過去に摘出済み，または病理診断用検体の提出なし）

pN0 ：領域リンパ節に転移を認めない[注2)3)]

pN1 ：微小転移，または1～3個の同側腋窩リンパ節転移，および/または臨床的に検出されないが，センチネルリンパ節生検により検出された内胸リンパ節転移

　　pN1mi：微小転移（最大径が0.2 mm を超える，および/または細胞数200個を超えるが2.0 mm 以下）

　　pN1a：1～3個の腋窩リンパ節転移で，最大径が2 mm を超えるものを少なくとも1個含む

　　　　pN1b：内胸リンパ節転移
　　　　pN1c：1～3個の腋窩リンパ節転移および内胸リンパ節転移
　　pN2　：4～9個の同側腋窩リンパ節転移，または腋窩リンパ節転移を伴わず臨床的に検
　　　　　　出された同側内胸リンパ節転移
　　　　pN2a：4～9個の腋窩リンパ節転移で，2mmを超えるものを少なくとも1個含む
　　　　pN2b：腋窩リンパ節転移を伴わず臨床的に検出された内胸リンパ節転移
　　pN3　：
　　　　pN3a：10個以上の同側腋窩リンパ節転移（少なくとも1個は2mmを超える），
　　　　　　　または鎖骨下リンパ節転移
　　　　pN3b：腋窩リンパ節転移を伴った，臨床的に検出された同側内胸リンパ節転移，
　　　　　　　または4個以上の腋窩リンパ節転移を伴った，臨床的に検出されないが，
　　　　　　　センチネルリンパ節生検により検出された，顕微鏡的もしくは肉眼的転移
　　　　　　　がみられる内胸リンパ節転移
　　　　pN3c：同側鎖骨上リンパ節転移
　　注1：遺伝子増幅検出法のみで転移検索を行った場合は，検査キットの判定基準に従って分類
　　　　する。遺伝子増幅検出法と病理組織学的方法を併用した場合は，両者の結果を総合的に
　　　　判断し分類する。遺伝子増幅検出法で転移陽性の判定であった場合，(mol＋)を語尾に
　　　　付記してもよい〔例：pN1(mol＋)〕。（TNM分類に記載がないため，本規約で独自に規定）
　　注2：遊離腫瘍細胞（isolated tumor cell；ITC）とは，通常のHE染色または免疫組織化学で
　　　　検出できる最大径0.2mm以下の癌細胞集塊群である。1つの組織学的割面に200個未
　　　　満の癌細胞群を含むとする基準も提案されている。ITCのみを含むリンパ節は検索リン
　　　　パ節個数には含めるが，N因子の陽性リンパ節個数に含めない。ITCのみを認めた場合，
　　　　(i＋)を語尾に付記する〔例：pN0(i＋)〕。
　　注3：組織学的に転移を認めないが，非形態学的所見が陽性の場合，(mol＋)を語尾に付記す
　　　　る〔例：pN0(mol＋)〕。

e．センチネルリンパ節に関する記載法
　　センチネルリンパ節のみを評価した場合は，病理学的N因子の語尾に(sn)を付記する。

pNX (sn)：センチネルリンパ節の評価が不可能
pN0 (sn)：組織学的にセンチネルリンパ節転移なし
pN1 (sn)：組織学的にセンチネルリンパ節転移あり

f. 病理学的 M 因子：遠隔転移
UICC TNM 分類 第 8 版に準拠する。

pM1：遠隔転移あり[注1)～3)]

注1：病理学的遠隔転移の検索を全身に行うこと，ならびに遠隔転移が病理学的に存在しないことを証明することは困難であり，pMX および pM0 の表記は用いない。
注2：骨髄に ITC が検出された場合，形態学的所見では（i＋）を，非形態学的所見では（mol＋）を語尾に付記する。
　　M0（i＋）：ITC の形態学的所見を認める
　　M0（mol＋）：ITC の非形態学的所見を認める
注3：転移を認めた臓器は，以下の 3 文字コードを記載する。
　　肺（PUL），骨（OSS），肝（HEP），脳（BRA），遠隔リンパ節（LYM），骨髄（MAR），胸膜（PLE），腹膜（PER），副腎（ADR），皮膚（SKI），その他（OTH）

6．断端の評価

　乳房部分切除術検体では，切離面からの距離と組織学的所見（乳管内進展，間質浸潤など）を記載する。乳房全切除術検体では，癌が切離面に近接している場合に，乳房部分切除術検体と同様に記載する。必要に応じて図示する。
　例：皮膚温存乳房全切除術の場合には，皮膚切離面との距離
　　　乳頭温存乳房全切除術の場合には，乳頭切離面との距離など

7．浸潤形態と間質量

1）充実パターン Solid pattern（図 10）
　癌細胞が大きな胞巣で浸潤し，間質の量は少ないもの。周囲組織に対して，圧排性ないし膨張性に発育するものが多い。
2）中間パターン Intermediate pattern
　充実パターンと硬性パターンの中間にあるもの。
3）硬性パターン Scirrhous pattern（図 11）
　癌細胞が小胞巣ないし個細胞性に浸潤し，間質の量が多いもの。周囲組織に対して，びまん浸潤性に発育するものが多い。

　注：癌胞巣内の腺腔形成性は問わない。

8．非浸潤癌巣の種類と量

　浸潤癌において，非浸潤癌巣の有無および種類（非浸潤性乳管癌，被包型乳頭癌，Paget 病など）を記載する。また，乳管内癌巣が主病変の大部分を占めるものは，predominant intraductal component（＋）とする。

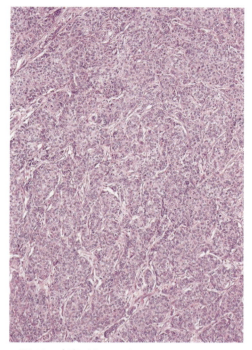
図10　充実パターン Solid pattern

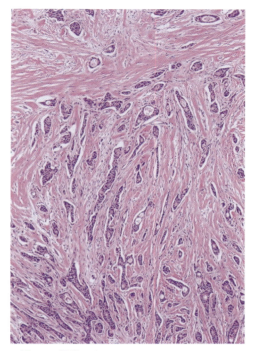
図11　硬性パターン Scirrhous pattern

9．脈管侵襲の有無

リンパ管侵襲は Ly，静脈侵襲は V として表記する。

LyX：リンパ管侵襲の評価が不可能
Ly　：リンパ管侵襲
　　Ly0：リンパ管侵襲なし
　　Ly1：リンパ管侵襲あり

VX　：静脈侵襲の評価が不可能
V　　：静脈侵襲
　　V0：静脈侵襲なし
　　V1：顕微鏡的静脈侵襲あり

注1：脈管侵襲の検討に特殊染色や免疫染色を加えた場合には，その旨を記載する。
　　例：Ly1（D2-40）
注2：真皮へのリンパ管侵襲を認める場合は，その旨を記載することが望ましい。

10. 浸潤癌の組織学的波及度

以下の略号によって表現する。
1) 乳腺組織内にとどまるもの　　g　（f, s, p, w がない場合）
2) 乳腺外脂肪に及ぶもの　　　　f
3) 皮膚に及ぶもの　　　　　　　s
4) 筋肉（大胸筋）に及ぶもの　　p
5) 胸壁に及ぶもの　　　　　　　w

　　例：癌が乳腺間質，脂肪組織および皮膚に浸潤している場合には，波及度は"fs"と表記される。癌が，乳腺内にとどまり，乳腺外脂肪への浸潤がない場合には，波及度は"g"と表記される。

11. 病理学的グレード分類

　グレード（異型度）分類は，主として浸潤性乳管癌の浸潤部を対象とし，ヘマトキシリン・エオジン染色標本を用いて判定する。判定方法としては，組織学的グレード分類（histological grading）と核グレード分類（nuclear grading）がよく用いられている。

a. 組織学的グレード分類（histological grading）

　組織学的グレード（histological grade）の判定：腺管形成スコア＋核多形性スコア＋核分裂像スコアの合計

　　Grade 1：3, 4, 5 点
　　Grade 2：6, 7 点
　　Grade 3：8, 9 点

1) 腺管形成（tubule formation）スコア[注1]（図12～15）
　　1点：腫瘍の75%超に明らかな腺管形成がみられる。
　　2点：腫瘍の10～75%に腺管形成がみられる。
　　3点：腺管形成は腫瘍の10%未満である。
2) 核多形性（nuclear plemorphism）スコア[注2]
　　1点：小型，規則的，均一な細胞
　　2点：大きさおよび多様性の中等度の増加
　　3点：顕著な多様性
3) 核分裂像（mitotic counts）スコア
　　顕微鏡の視野数（または視野面積）により異なる。顕微鏡接眼レンズの特性に基づく核分裂像算定基準の補正は表1のように行う。
　　注1：腺管形成は，弱拡大で腫瘍全体を観察して評価し，極性を有する腫瘍細胞で囲まれた明瞭な腺管構造のみを評価する。

表1. 組織学的グレード分類，核グレード分類における顕微鏡接眼レンズの特性に基づく核分裂像算定基準の補正（対物レンズ40×）

接眼レンズの視野数	視野径 (mm)	視野面積 (mm²)	組織学的グレード 高倍（対物40×）10視野あたりの核分裂像の数（個）			核グレード 高倍（対物40×）10視野あたりの核分裂像の数（個）			接眼レンズ
			スコア1点	スコア2点	スコア3点	スコア1点	スコア2点	スコア3点	
20	0.5	0.196	≦7	8〜14	≧15	≦4	5〜10	≧11	WHK 10×
21	0.53	0.221	≦8	9〜16	≧17	≦5	6〜11	≧12	CFW 10×，CFWN 10×
22	0.55	0.237	≦8	9〜17	≧18	≦5	6〜12	≧13	CFI 10×，WH 10×
25	0.63	0.312	≦11	12〜22	≧23	≦7	8〜15	≧16	CFIUW 10×
26.5	0.66	0.342	≦12	13〜24	≧25	≦8	9〜17	≧18	SWH 10×，SWHK 10×
27	0.68	0.363	≦13	14〜26	≧27	≦9	10〜18	≧19	CFUWN 10×

注2：核所見は対物40×での評価が推奨される。核多形性は正常乳管上皮と比較して核径や形態の多様性が最大の部分で評価する。スコアリングには核径のほか，核輪郭の不規則性や核小体の数・大きさ，クロマチンパターンも有用である。

核径の目安は1点では正常乳管上皮の1.5倍未満，2点では1.5〜2倍，3点では2倍を超える。核多形性は非常に少ない場合は1点，多様性が軽度〜中等度の場合は2点，大きさと形態の多様性が顕著な場合は3点とする。1点ではクロマチンが均一なパターンで，核小体がみえないかまたは非常に不明瞭，2点では核小体がみえるが小さく不明瞭，3点ではクロマチンが小胞（水胞）状でしばしば核小体が顕著である。

b．核グレード分類（nuclear grading）

核グレード（nuclear grade）の判定：核異型スコア＋核分裂像スコアの合計

Grade 1：2，3点

Grade 2：4点

Grade 3：5，6点

1）核異型（nuclear atypia）スコア（図16〜18）

1点：核の大きさ，形態が一様で，クロマチンは目立たない。

2点：1と3の中間

3点：核の大小不同，形態不整が目立つ。クロマチンの増量，不均等分布が目立ち，大型の核小体を有することがある。

2）核分裂像（mitotic counts）スコア

低〜中倍で分裂像の目立つ部分を選んだ後，高倍で観察する。顕微鏡接眼レンズの特性に基づく核分裂像算定基準の補正は表1のように行う。接眼レンズ視野数20，高倍（対物40×）の場合，次の通りとなる。

1点：10視野で5個未満

2点：10視野で5〜10個

3点：10視野で11個以上

病理所見

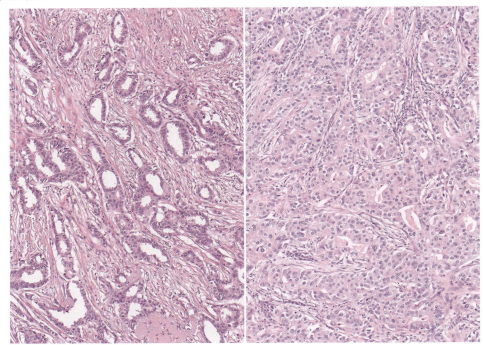

図12　腺管形成スコア1点　　　図13　腺管形成スコア2点

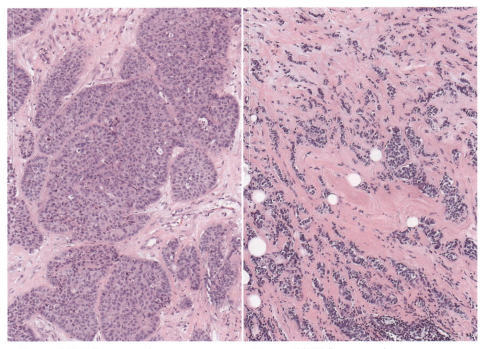

図14　腺管形成スコア3点　　　図15　腺管形成スコア3点

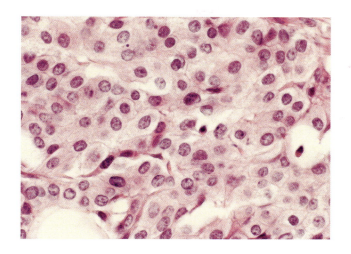

図16 核異型スコア1点
一般に核形態は類円形で比較的均一，クロマチンパターンは網状ないし微細顆粒状で均一〜やや不均一である。

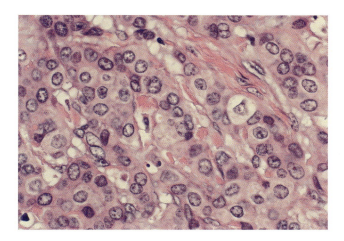

図17 核異型スコア2点
一般に核形態は類円形〜多角形で大小不同，形態不整が出現する。クロマチンパターンは網状，微細顆粒状ないし粗大顆粒状，ときに小胞（水泡）状で，かなり不均一となる。

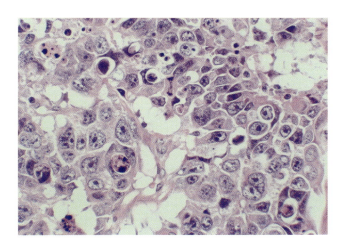

図18 核異型スコア3点
一般に核形態は多形的で大小不同，形態不整が目立つ。クロマチンパターンは細顆粒状〜粗大顆粒状ないし小胞（水泡）状で不均一である。核小体が大きいことがある。

第3章　細胞診および針生検の報告様式

　本報告様式は，細胞診，針生検いずれも同様な判定区分で構成されている点が特徴で，検体をまず適正・不適正に大別し，適正とされた検体は，さらに「正常あるいは良性」，「鑑別困難」，「悪性の疑い」，「悪性」の4つに細分類している。診断した判定区分については，それぞれの診断基準に基づき，所見および，規約組織分類に沿った推定組織型を可能な限り記載することとした。

　図譜は細胞診・針生検でそれぞれ16図と8図を掲載したが，比較的われわれが目にする病変で，かつ鑑別診断に際して重要と思われる細胞・組織像を掲げた。

　乳癌の診断にあたっては，細胞診あるいは針生検の所見のみならず画像を含めた臨床所見が極めて重要であり，これらを踏まえて存在する病変に対して整合性が得られたとき，次のステップである治療に進むことができると考える。

1．細胞診

　細胞診の報告様式としては，わが国では以前，パパニコロウのクラス分類（ClassⅠ～Ⅴ）が使われていたが，検体の適正，不適正の記載項目がないことや，判定基準が明確にされていないことなどから，欧米ではすでにこの分類は用いられていない。そこで，わが国でも細胞診の報告様式が作成された。

　本様式は判定区分と所見の2項からなっている。判定区分に関しては，まず検鏡時に提出された細胞診標本が診断に適していないか（不適正），適しているか（適正）の2つに大きく分けたが，「検体不適正」は細胞診総数の10％以内にとどめることを付帯事項として掲げた。「検体適正」に含まれる判定区分は，「正常あるいは良性」，「鑑別困難」，「悪性の疑い」，「悪性」の4つとした。従来のクラス分類のⅢ，Ⅳに曖昧な点が多かったことから，今回の区分のなかで特に「鑑別困難」の設定にあたっては，これに含まれる代表的な病変を明確にし，良・悪性の細胞判定が困難な病変を指すと規定した。また，付帯事項として，「鑑別困難」は検体不適正例を除いた細胞診総数の10％以下となることが望まれるとした。次いで「悪性の疑い」の区分では，後の組織学的検索で悪性と診断される割合が「悪性の疑い」とした総数の90％以上となることが望ましいとした。すなわち，この区分には良性病変が含まれる可能性があることを明確にした。

　所見に関しては，判定した根拠を具体的に記述し，「検体不適正」についてはその判断理由を明記することとした。また，乳癌取扱い規約組織分類に基づき，可能な限り推定される組織型も記載することを推奨した。

　上記報告様式に加えて，細胞診の代表的な病変の写真を掲載した（図1～16）。

　なお，細胞診においては臨床面の情報が極めて重要であることから，臨床診断，経過，

年齢，性別，部位，大きさの記載に加えて，マンモグラフィ，超音波，CT，MRIなどの画像所見が得られている場合は併せて記載することが望ましいことを付け加えた。

a. 診断報告様式
　1）判定区分
　　　a）検体不適正（inadequate）
　　　b）検体適正（adequate）
　　　　　正常あるいは良性（normal or benign）
　　　　　鑑別困難（indeterminate）
　　　　　悪性の疑い（suspicious for malignancy）
　　　　　悪性（malignant）
　2）所見
　　　a）判定した根拠を具体的に記載する。
　　　b）乳癌取扱い規約組織分類に基づき，可能な限り推定される組織型を記載する。

b. 判定区分の診断基準
　1）検体不適正（inadequate）
　　標本作製不良（乾燥，固定不良，細胞挫滅・破壊，末梢血混入，厚い標本），または病変を推定するに足る細胞が採取されていないため，診断が著しく困難な標本を指す。不適正とした標本はその理由を明記すること。
　　〔付帯事項〕本区分の占める割合は細胞診検査総数の10％以下が望ましい。
　2）検体適正（adequate）
　　　a）正常あるいは良性（normal or benign）
　　　　正常乳管上皮および乳管内乳頭腫，乳腺症，線維腺腫，葉状腫瘍（良性），囊胞，乳腺炎，脂肪壊死などが本区分に含まれる。
　　　b）鑑別困難（indeterminate）
　　　　細胞学的に良・悪性の判定が困難な病変を指す。
　　　　乳頭状腫瘍（乳管内乳頭腫，乳頭癌），上皮増生病変（通常型乳管過形成，異型乳管過形成，低異型度乳癌；篩状型など），線維上皮性腫瘍（境界悪性葉状腫瘍，一部の複合型［乳腺症型］線維腺腫）など良・悪性判定が困難な細胞群が本区分に含まれる。
　　　　〔付帯事項〕本区分の占める割合は検体適正症例の10％以下が望ましい。
　　　　　　　　　　再検査あるいは組織診（針生検，切開生検）を勧めることを考慮する。
　　　c）悪性の疑い（suspicious for malignancy）
　　　　主として異型の乏しい非浸潤癌や小葉癌などが本区分に含まれる。

〔付帯事項〕その後の組織学的検索で「悪性の疑い」の総数の90％以上が悪性であることが望ましい。
再検査あるいは組織診（針生検，切開生検）を勧めることを考慮する。

d）悪性（malignant）
乳癌，非上皮性悪性腫瘍などが本区分に含まれる。

注1：検体不適正が10％を超える場合は採取方法，標本作製方法についての検討が必要である。
注2：鑑別困難，悪性の疑いにおける10％，90％の判定基準値から明らかに逸脱するときは標本の精度管理が必要である。
注3：細胞診では，画像所見との整合性を考慮して診断することが望まれる。
注4：線維腺腫と葉状腫瘍を推定する場合，線維上皮性腫瘍（fibroepithelial tumor）と総称されることがある。

※ IAC YOKOHAMA System

横浜で開催された第19回 International Congress of Cytology で，乳腺細胞診（fine needle aspiration biopsy；FNAB）の分類，"YOKOHAMA System"が提唱された。

IAC YOKOHAMA System では超音波ガイド下穿刺，rapid on-site evaluation（ROSE）の施行，トリプルテスト（臨床像・放射線画像・FNAB判定）による判定が推奨されており，判定区分ごとの治療方針が示されている。判定区分は5分類とされ，"Insufficient / inadequate"，"Benign"，"Atypical"，"Suspicious of malignancy"，"Malignant"である。各判定区分における悪性症例の頻度，ROM（risk of malignancy）が報告されている。

参考文献：Field AS, et al. Acta Cytol. 2019；63（4）：257-73.

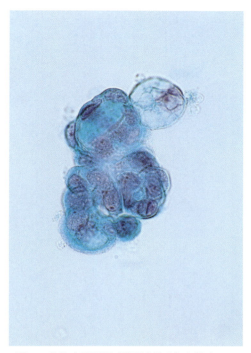

図1　乳管内乳頭腫（乳頭分泌物）中拡大
細胞質の空胞化がみられる。核クロマチンの過染性はみられない。

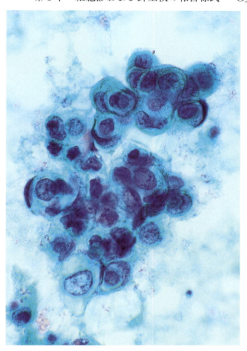

図2　乳管癌（乳頭分泌物）中拡大
核クロマチンの過染性がみられ，対細胞が多数出現している。

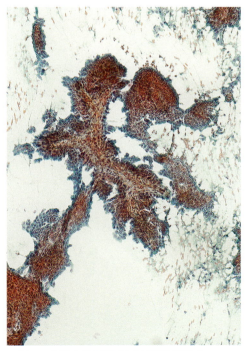

図3　乳管内乳頭腫（穿刺吸引）弱拡大
線維性結合織の茎を有する乳頭状集塊。

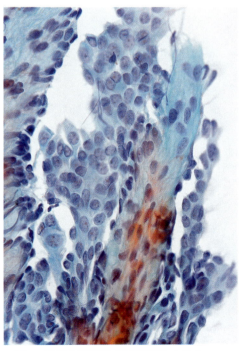

図4　乳管内乳頭腫（穿刺吸引）中拡大
上皮細胞に2相性がみられる。

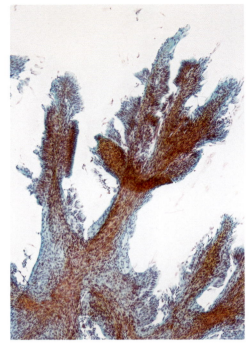

図5 乳管癌(穿刺吸引)弱拡大
乳頭状ないし樹枝状集塊。乳管内癌巣の特徴が反映されている。

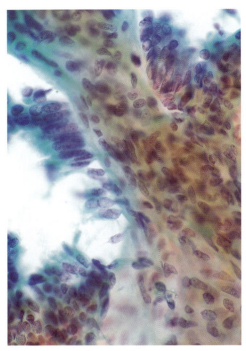

図6 乳管癌(穿刺吸引)中拡大
乳管内癌巣の乳頭状構造。上皮細胞に2相性を欠き，高円柱状細胞が柵状に配列している。

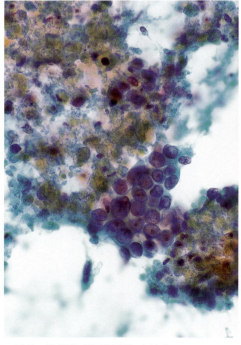

図7 乳管癌(穿刺吸引)中拡大
面疱型の乳管内癌巣が推定される像。変性・壊死物質を背景に癌細胞が出現。

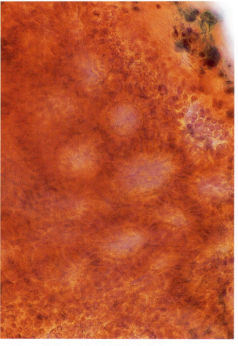

図8 乳管癌(穿刺吸引)中拡大
細胞が小腺腔を形成し，篩の目に向かって極性を示す。篩状構造を反映しており，非浸潤性乳管癌，浸潤性乳管癌，篩状癌が鑑別に挙がる。

第3章 細胞診および針生検の報告様式　91

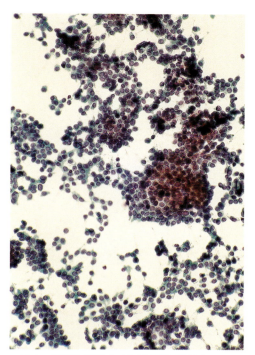

図9　浸潤性乳管癌（穿刺吸引）弱拡大
癌細胞の充実状重積と孤立散在性の出現。

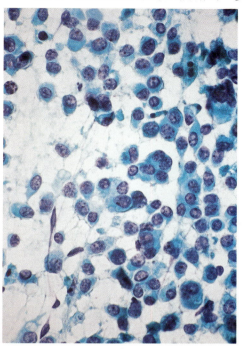

図10　浸潤性乳管癌（穿刺吸引）中拡大
細胞質境界の明瞭な類円形または多角形細胞が孤立散在性および小集塊状にみられる。

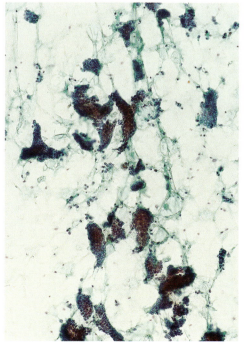

図11　浸潤性乳管癌（穿刺吸引）弱拡大
癌細胞集塊辺縁部が鋭利な小細胞集団。

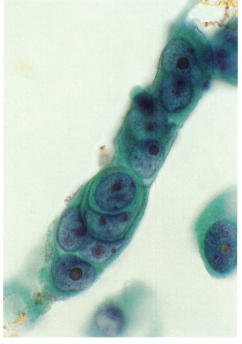

図12　浸潤性乳管癌（穿刺吸引）強拡大
癌細胞が索状に配列。

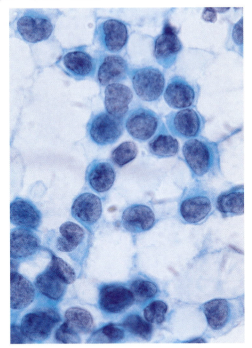

図13 浸潤性小葉癌（穿刺吸引）強拡大
線状（数珠状）に配列する小型円形細胞。

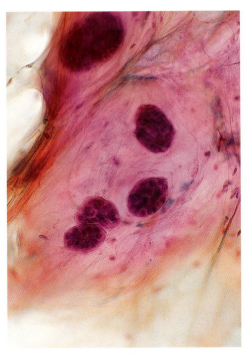

図14 粘液癌（穿刺吸引）中拡大
濃厚な粘液中に癌細胞集団がみられる。

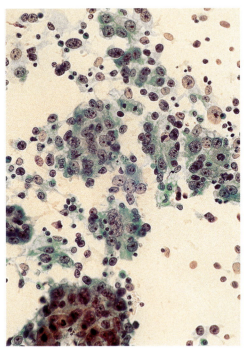

図15 浸潤性乳管癌 髄様パターン（穿刺吸引）
中拡大
リンパ球を背景に核・核小体の大きい大型腫瘍細胞が出現している。腫瘍細胞境界は不明瞭。

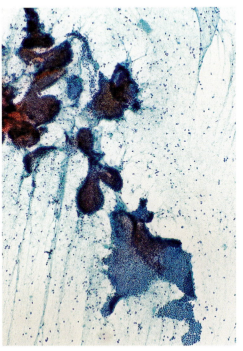

図16 線維腺腫（穿刺吸引）弱拡大
シート状および分枝状細胞集団が双極裸核を背景に出現。上皮細胞に2相性がみられる。

2. 針生検

微小な標本で診断しなければならない針生検では，その病理診断にはおのずと限界があり，診断困難な場合があることを考慮して本報告様式を設定した．針生検の報告様式は判定区分と推定組織型からなり，判定区分は細胞診と同様とした．そのなかで「鑑別困難」は病変が確実に採取されているものの良・悪性の鑑別が難しい病変を指しており，本区分では鑑別すべき組織型も記載することとした．また，経過観察を勧める，あるいは悪性の可能性が高い場合は切開生検を勧めることを付帯事項として加えた．さらに，無理のない診断をすることが肝要であり，特に腫瘍の針生検では画像所見との整合性も考慮し診断することが望ましい点を強調した．上記報告様式に加えて，針生検の代表的な病変の写真を掲げた（図17～24）．

なお，細胞診と同様に，針生検の診断にあたっては臨床面の情報が極めて重要であることから，臨床診断，経過，年齢，性別，部位，大きさの記載に加えて，マンモグラフィ，超音波，CT，MRIなどの画像所見が得られている場合は併せて記載することが望ましいことを付け加えた．

a. 診断報告様式
1) 判定区分
   a) 検体不適正（inadequate）
   b) 検体適正（adequate）
      正常あるいは良性（normal or benign）
      鑑別困難（indeterminate）
      悪性の疑い（suspicious for malignancy）
      悪性（malignant）
2) 推定組織型
   乳癌取扱い規約組織分類に基づき可能な限り組織型を推定し，特に悪性の場合は非浸潤性，浸潤性の有無を記載する．なお，この組織型診断は病変のすべてを網羅していないことから，のちの生検，手術標本の組織型と必ずしも一致しない可能性がある．

b. 判定区分の診断基準
1) 検体不適正（inadequate）
   微小な標本，微細な病変および圧挫などによる変性のため診断に適さない標本を指す．
   〔付帯事項〕検体不適正の場合はその判断理由を明記する．

2) 検体適正（adequate）
　a）正常あるいは良性（normal or benign）
　　乳腺や脂肪，結合織のみで病変を同定できないか，目的の病変が採取されていない症例，あるいは明らかに良性としての組織診断が可能な病変を指す。
　b）鑑別困難（indeterminate）
　　病変は確実に採取されているが，良・悪性の鑑別が難しい病変を指す。鑑別すべき組織型を明記すること。
　　〔付帯事項〕経過観察を勧める，あるいは悪性の可能性が高いと思われる場合にはさらなる生検を勧めることを考慮する。
　c）悪性の疑い（suspicious for malignancy）
　　悪性が強く疑われるが，病変の量が少なく悪性としての確定診断ができない標本を指す。
　　〔付帯事項〕再度の針生検またはさらなる生検を勧めることを考慮する。
　d）悪性（malignant）
　　明らかに悪性としての組織診断が可能な病変を指す。

注1：針生検で確定診断が得られない場合には，切開生検を選択することができるので，針生検では無理のない診断を心がけるべきである。
注2：腫瘤の針生検では画像所見との整合性を考慮して診断することが望まれる。
注3：線維腺腫と葉状腫瘍を推定する場合，線維上皮性腫瘍（fibroepithelial tumor）と総称されることがある。
注4：異型小葉過形成と非浸潤性小葉癌を推定する場合，非浸潤性小葉腫瘍（non-invasive lobular neoplasia）と総称されることがある。
注5：判定区分の確定が難しい病変に関しては推定組織型のみ記載する。

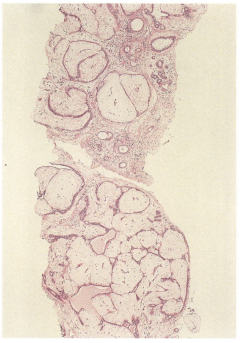

図17　線維腺腫（管内型）
細長い管状の腺腫成分と，疎な線維成分の混在からなる。

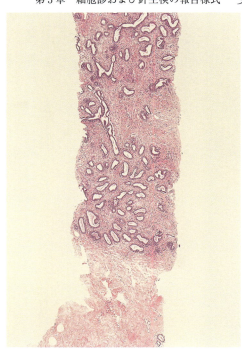

図18　線維腺腫（管周囲型）
丸い管状の腺腫成分と，線維成分の混在からなり，腫瘍境界は明瞭である。

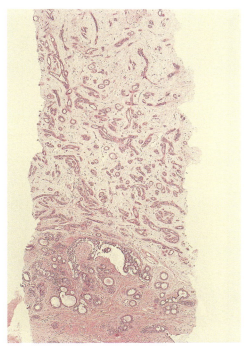

図19　線維腺腫〔複合型（complex type）/乳腺症型：硬化性腺症〕
腺管の配列はいわゆる乳腺症で認められる硬化性腺症に類似しているが，線維腺腫に特徴的な間質が介在している。

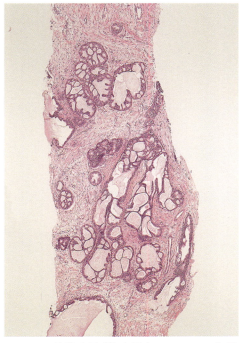

図20　線維腺腫〔複合型（complex type）/乳腺症型：通常型乳管過形成〕
線維性間質の増生とともに，上皮の多層性増殖を示す乳管が介在している。

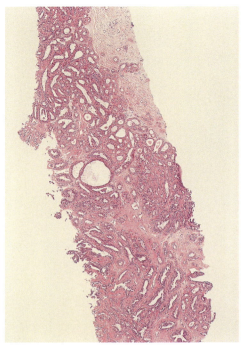

図21　いわゆる乳腺症（硬化性腺症）
間質の線維化とともに，小型の腺管が増殖している。強拡大で観察すると，上皮の2相性が保持されている。

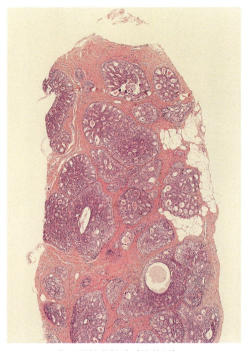

図22　非浸潤性乳管癌（篩状型）
乳管内に，篩状構造を主体とする癌を認める。さらなる生検や手術標本に浸潤癌成分が存在する可能性が残る。

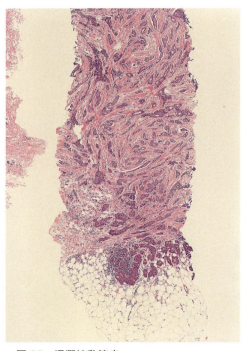

図23　浸潤性乳管癌
豊富な間質内に小型の癌胞巣が増殖し，脂肪組織にも浸潤している。硬性パターンが推定される。

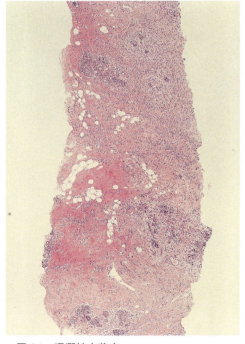

図24　浸潤性小葉癌
間質内に小型の癌細胞が浸潤しており，既存の乳管や小葉の残存を伴う。

第4章 バイオマーカー検索と判定基準

1．検体の取扱い

　ホルモン受容体(estrogen receptor；ER，progesterone receptor；PgR)，HER2(human epidermal growth factor receptor-2，c-erbB-2)，Ki67 や PD-L1 (programmed cell death 1 ligand 1) に対する免疫組織化学法（IHC 法）による検索や，*HER2 in situ* hybridization (ISH) 法による検索は，治療方針の決定や予後の予測に用いられる。用いられる標本の切片の厚さは，IHC 法では 4 μm，*HER2* ISH 法検索では 4〜6 μm 程度が望ましい。さらに，ER，PgR，HER2，Ki67 の結果を組み合わせて，内因性サブタイプ分類の代用としても活用されている。

　バイオマーカーの検索およびその判定あるいはゲノム検索に際しては，材料の取扱い，染色，判定基準に関する内部あるいは外部精度管理が必要である。昨今，日常医療にコンパニオン診断，ゲノム判定やゲノム医療の遺伝子パネル検査の実施がなされ，検体の取扱いの精度管理の重要性が増している。日本病理学会と日本臨床細胞学会から，ゲノム診療や研究用の検体の取扱いに関する規定や指針が公開されている。

2．ホルモン受容体（ER，PgR）

a．判定対象と判定部位

　すべての乳癌検体（非浸潤性乳癌，浸潤性乳癌，乳癌の転移再発巣）を対象に，癌細胞の核におけるホルモン受容体の発現状況が免疫組織化学的に検索される。浸潤性乳癌の原発巣においては，代表切片の浸潤部のみ，もしくは浸潤部および非浸潤部の腫瘍全体で判定し，判定成分を付記する。

　　注：細胞質内の陽性所見は判定対象外とする。

b．判定方法

　判定方法は，陽性細胞の占有率（％）で判定する方法と陽性細胞の占有率および染色強度を組み合わせた方法とに分類され，後者の代表的評価法に Allred score がある。いずれの判定法を用いても構わないが，報告書には占有率（％）を含めることが望ましい。代表的なホルモン受容体判定スコアを図1に示す。

Allred score

陽性細胞の割合（proportion score；PS）と染色強度（intensity score；IS）を判定し，両者を加算してTS（total score）を算定する（TS＝PS＋IS）。

陽性細胞の占有率	proportion score (PS)
なし	0
1/100 未満	1
1/100 以上　1/10 未満	2
1/10 以上　1/3 未満	3
1/3 以上　2/3 未満	4
2/3 以上	5

陽性細胞の染色強度	intensity score (IS)
陰性	0
弱陽性	1
中等度陽性	2
強陽性	3

Total score (TS) ＝ PS＋IS（range 0, 2-8）

また，J-Scoreは陽性細胞の占有率をスコア化した日本独自の判定法であり，簡便で施設間差異が少ないと報告されている。

J-Score

判定スコア	陽性細胞数
Score 0	陽性細胞なし
Score 1	陽性細胞占有率　1％ 未満
Score 2	陽性細胞占有率　1％ 以上　10％ 未満
Score 3a	陽性細胞占有率　10％ 以上　50％ 未満
3b	陽性細胞占有率　50％ 以上

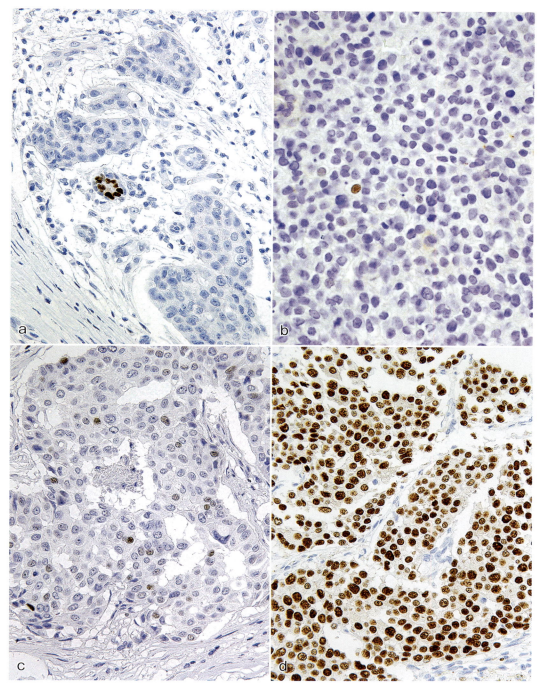

図1 ホルモン受容体判定スコア
(a) 非腫瘍性乳腺上皮細胞に陽性所見はみられるが,癌細胞は陰性で,陽性癌細胞の割合は0%である(Allred score TS0=PS0+IS0/J-Score 0)。
(b) 少数の癌細胞に陽性であり,その割合は1%に満たない(Allred score TS3=PS1+IS2/J-Score 1)。
(c) 陽性細胞が散見され,その割合は1%以上10%未満である(Allred score TS4=PS2+IS2/J-Score 2)。
(d) 10%以上の癌細胞に陽性所見が観察される。写真は陽性率が50%以上の症例である(Allred score TS8=PS5+IS3/J-Score 3b)。

3．HER2

概略は以下の通りである。詳細は ASCO/CAP ガイドライン（2018，2023），「乳癌・胃癌 HER2 病理診断ガイドライン第 2 版」（日本病理学会編，2021），各施設で実施している各検査法のガイドを参照のこと。

3-1．HER2 陽性/陰性の判定

HER2 タンパクの過剰発現もしくは HER2 遺伝子の増幅を調べ，原発乳癌の術前術後もしくは転移乳癌に対する抗 HER2 薬適応決定に用いる。保険収載された体外診断薬で実施できる。

　a．判定部位

　　IHC 法，ISH 法いずれの場合でも，評価は浸潤部で行う。IHC 法で非浸潤部と浸潤部で明らかに所見が異なる場合は付記する。

　b．判定手順（IHC 法）

　　光学顕微鏡の 4 倍対物レンズを使用して，検体組織内の癌細胞の HER2 タンパク陽性染色像，陽性染色の強度，陽性細胞率を観察する。次に対物レンズを 10 倍に切り替え，陽性所見が細胞膜に局在していることを確認する。細胞質のみに陽性所見がみられるものは陰性と判定する。陽性であったほとんどの検体組織において，対物レンズ 10 倍で細胞膜に局在する陽性像を確認できるが，陽性像が確認できない場合は，さらに対物レンズ 20 倍で検索する。

　c．判定手順（ISH 法）

　　ISH 法は標識物質の種類などにより，fluorescence *in situ* hybridization（FISH）法，chromogenic *in situ* hybridization（CISH）法，dual color *in situ* hybridization（DISH）法に分けられ，シグナル検出の方法には，デュアルプローブとシングルプローブがある。現在，体外診断用医薬品として保険承認されている ISH 検査キットのうち，FISH と DISH はデュアルプローブ，CISH はシングルプローブを採用している。デュアルプローブを用いた ISH 法（FISH 法，DISH 法）では，まず，少なくとも 20 個の癌細胞の CEP17 シグナル総数に対する HER2 シグナル総数の比率（HER2/CEP17 比）を算出する。次に，1 細胞あたりの HER2 の平均シグナル数を算出する。シングルプローブを用いた ISH 法（CISH 法）では，癌細胞 20 個の 1 細胞あたりの HER2 の平均シグナル数を算出する。いずれの方法においても，1 個のシグナルが遺伝子 1 コピーに対応する。

　d．判定基準

　　本規約においては，判定の施設間差異がより少なくなる ASCO/CAP ガイドライン（2018）に準じた判定基準を表 1 に示す。図 2 に代表的な IHC の各スコアの例を示す。

表1　ASCO/CAP ガイドライン（2018）に準じた HER2 判定基準

検査法	判定	基準
IHC 法	陽性	スコア 3＋：＞10％の腫瘍細胞に強い完全な全周性の膜染色がみられる
	未確定（equivocal）	スコア 2＋：＞10％の腫瘍細胞に弱/中等度の全周性の膜染色がみられる
	陰性	スコア 1＋：＞10％の腫瘍細胞にかすかな/かろうじて認識できる不完全な膜染色がみられる
		スコア 0：染色像が認められない，または≦10％の腫瘍細胞に不完全でかすかな/かろうじて認識できる膜染色がみられる
デュアルプローブを用いた ISH 法	陽性	HER2/CEP17 比≧2.0 で 1 細胞あたりの HER2 遺伝子平均コピー数≧4.0（グループ 1）
		HER2/CEP17 比≧2.0，かつ 1 細胞あたりの HER2 遺伝子平均コピー数＜4.0（グループ 2），かつ，同時に IHC 3＋
		HER2/CEP17 比＜2.0，かつ 1 細胞あたりの HER2 遺伝子平均コピー数≧6.0（グループ 3），かつ，同時に IHC 2＋または 3＋
		HER2/CEP17 比＜2.0，かつ 1 細胞あたりの HER2 遺伝子平均コピー数≧4.0～＜6.0（グループ 4），かつ，同時に IHC 3＋
	陰性	HER2/CEP17 比≧2.0，かつ 1 細胞あたりの HER2 遺伝子平均コピー数＜4.0（グループ 2），かつ，同時に IHC 0，1＋または 2＋の場合は，コメントを付記して HER2 陰性と報告
		HER2/CEP17 比＜2.0，かつ 1 細胞あたりの HER2 遺伝子平均コピー数≧6.0（グループ 3），かつ，同時に IHC 0 または 1＋の場合は，コメントを付記して HER2 陰性と報告
		HER2/CEP17 比＜2.0，かつ 1 細胞あたりの HER2 遺伝子平均コピー数≧4.0～＜6.0（グループ 4），かつ，同時に IHC 0，1＋または 2＋の場合は，コメントを付記して HER2 陰性と報告
		HER2/CEP17 比＜2.0，かつ 1 細胞あたりの HER2 遺伝子平均コピー数＜4.0（グループ 5）
シングルプローブを用いた ISH 法	陽性	・1 細胞あたりの HER2 遺伝子平均コピー数≧6.0
		・1 細胞あたりの HER2 遺伝子平均コピー数≧4.0～＜6.0，かつ同時に IHC 3＋
		・1 細胞あたりの HER2 遺伝子平均コピー数≧4.0～＜6.0，かつ同時にデュアルプローブを用いた ISH 法でグループ 1
	陰性	・1 細胞あたりの HER2 遺伝子平均コピー数＜4.0
		・1 細胞あたりの HER2 遺伝子平均コピー数≧4.0～＜6.0 かつ IHC 0 または 1＋
		・1 細胞あたりの HER2 遺伝子平均コピー数≧4.0～＜6.0 かつデュアルプローブを用いた ISH 法でグループ 5

注1：IHC に関して，本基準ではまれな染色パターンはカバーされておらず，そのような場合，日常診療では IHC 法 2＋と判定すべきである。まれな染色パターンの例として，中等度～強度の染色だが不完全（basolateral または lateral）な膜染色で HER2 遺伝子増幅がみられる場合や，強い完全な全周性の膜染色が 10％以下の領域にみられる場合がある。

注2：IHC 法 2＋（未確定 equivocal）と判定された場合には，リフレックステストとして同じ検体を用いて ISH 法を行うか，または，新たな検査（可能ならば新たな検体を用いて IHC 法または ISH 法）を実施しなければならない。

注3：デュアルプローブを用いた ISH 法でグループ 2～4 であった場合，IHC 法先行と ISH 法先行の場合で対応が異なる。詳細は ASCO/CAP ガイドライン（2018），「乳癌・胃癌 HER2 病理診断ガイドライン第 2 版」に記載されているアルゴリズムを参照のこと。

注4：シングルプローブを用いた ISH 法の結果解釈は，IHC 法の併用結果も取り入れて行うことが推奨されている。シングルプローブを用いた ISH 法の結果，1 細胞あたりの HER2 遺伝子平均コピー数≧4.0～＜6.0，かつ同時に IHC2＋のときは，デュアルプローブを用いた ISH 法を実施する。ISH 法を行う際には，シングルプローブよりもデュアルプローブを用いることが推奨される。

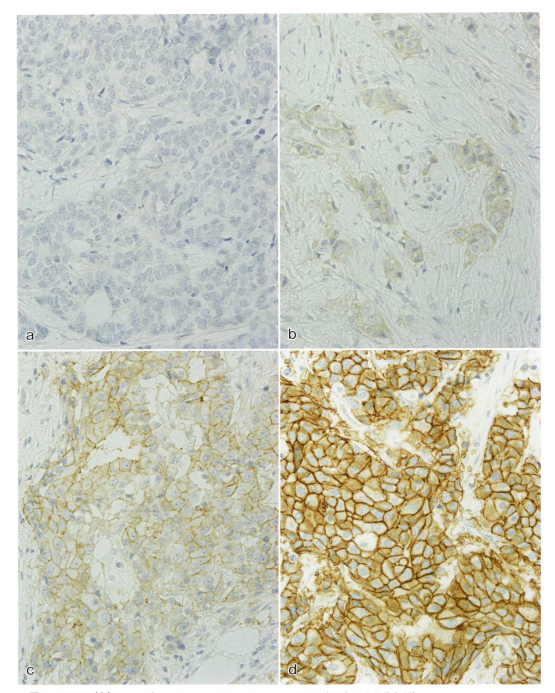

図2　HER2判定スコア〔ベンタナ ultraView パスウェー HER2（4B5）による染色例〕
(a) 細胞膜に陽性所見がみられない（スコア0）。
(b) 弱い不完全な細胞膜の陽性所見が，癌細胞に観察される（スコア1+）。
(c) 弱〜中等度の完全な細胞膜の陽性所見が，>10%の癌細胞に観察される（スコア2+）。
(d) 強い完全な細胞膜の陽性所見が，>10%（ここではほぼすべて）の癌細胞に観察される（スコア3+）。

3-2. いわゆる HER2 低発現の判定

DESTINY-Breast04 試験の結果から，従来，HER2 陰性とされる症例のうち，IHC 法で 1+，あるいは 2+ で，かつ遺伝子増幅がないものを HER2 低発現と定義している。しかし，HER2 低発現乳癌の生物学的特性には不明な点も多く，現時点で，HER2 低発現は，病理学的な新しい区分というよりは，コンパニオン診断によってトラスツズマブ デルクステカンの使用が検討される臨床上の区分の意味合いが強い。

a. 判定部位

上記 3-1 の HER2 陽性/陰性の判定部位と同じく，評価は浸潤部で行う。

b. 判定手順（IHC 法）

上記 3-1 の HER2 陽性/陰性の判定手順と同様であるが，HER2 陰性に分類される HER2 低発現と診断するためには，1+ と 0 の判定を適切に行う必要がある。1+ と 0 の染色パターンと強度の違いはわずかであり，対物 40 倍以上での確認が必要になることもある。特に抗体薬物複合体（トラスツズマブ デルクステカン）の使用が考慮される場合，コンパニオン診断薬による HER2 低発現の診断を厳密に行う必要がある。報告書には判定結果とともに HER2 発現状況/スコアを記載することが推奨される。

c. 判定手順（ISH 法）

上記 3-1 の HER2 陽性/陰性の判定手順と同様である。

d. 判定基準

上記 3-1 の HER2 陽性/陰性の判定基準と同様，ASCO/CAP ガイドライン（2018）に準じる。

4．PD-L1

PD-L1 は，免疫チェックポイント分子である programmed cell death-1（PD-1）のリガンド（ligand）である。ホルモン受容体陰性かつ HER2 陰性の手術不能または再発乳癌における PD-L1 の存在を免疫組織学的に検査して，免疫チェックポイント阻害薬の治療適応を決定するコンパニオン診断が行われる。

乳癌における検査試薬の一次抗体として抗 PD-L1 ウサギモノクローナル抗体（SP142）と抗 PD-L1 マウスモノクローナル抗体（22C3）の 2 種類がある。それぞれ診断薬と検出機器，適応となる薬剤が定められており，異なる検出系を有する別の検査として扱われている。

生検標本，手術標本いずれも適応があり，転移巣の組織が用いられることもある。セルブロック，脱灰標本，細胞診標本は推奨されない。判定は浸潤癌成分で行い，壊死組織，非浸潤癌成分とその周囲，非癌部，線維芽細胞は評価の対象とはならない。判定に際しては，HE 染色標本，PD-L1 用標本，陰性コントロール用標本の 3 枚を用意する。両者の評価方法は表 2 の通りであり，代表的な陽性例を図 3 に示す。

表2 SP142と22C3によるPD-L1の評価方法

	SP142[注1]	22C3[注2]
評価対象	腫瘍浸潤免疫細胞	腫瘍細胞と免疫細胞
評価対象となる免疫細胞	リンパ球，マクロファージ，樹状細胞，顆粒球	リンパ球，マクロファージ
腫瘍細胞の評価法	なし	細胞膜
免疫細胞の評価法	顆粒状，線状，円筒状，網状	細胞膜または細胞質
染色強度	考慮しない	考慮しない
判定法	IC	CPS
陽性（投与基準）	IC 1%以上	CPS 10以上

注1：SP142は腫瘍細胞間や腫瘍辺縁の間質に浸潤する免疫細胞（imunne cells；IC）に対し，染色強度に関係なく，PD-L1発現率（IC）で評価する。

注2：22C3は腫瘍細胞数に対し，PD-L1が陽性となった腫瘍細胞・リンパ球・マクロファージの数の割合で評価する（Combined Positive Score；CPS）。

$$CPS = \frac{PD\text{-}L1 を発現している腫瘍細胞＋リンパ球＋マクロファージの総数}{腫瘍細胞の総数} \times 100$$

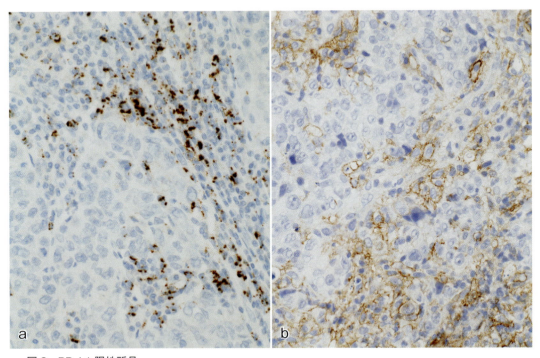

図3 PD-L1陽性所見
(a) SP142陽性像：陽性細胞は線状や点状の発色を示し，それらが凝集することもある。マクロファージ，樹状細胞では円周状や網状を呈する。
(b) 22C3陽性像：染色強度にかかわらず，細胞膜の一部または全体に明らかな陽性所見がみられれば陽性細胞と評価する。

5．Ki67

　Ki67は細胞増殖能を反映し，乳癌領域においては予後予測因子と考えられている。細胞周期のG0期以外の細胞がKi67陽性となり，細胞増殖マーカーとして利用されている。浸潤癌成分における陽性率をラベリングインデックス（LI）として表す（図4）。腫瘍細胞の核が染色されているものを陽性とする。ただし，染色強度および染色部位の詳細な局在（核小体，核膜など）は問わない。Ki67判定に用いるMIB-1や30-9などの一次抗体は研究用抗体であるため，コンパニオン診断薬のような染色プロトコールは設定されておらず，染色方法は標準化されていない。国際Ki67ワーキンググループは，検討を重ねた結果，「全体評価（weighted global score）」での測定を推奨している。この評価法は，hot spotでの評価に比べ，観察者間による評価視野のずれは小さく，観察者間一致という点では優れているが，評価方法が煩雑などの課題も多く残されており，日常診療には普及していない。目視による簡便な10段階ごとの半定量的評価において，再現性や観察者間の良好な一致率が得られたとの報告もあり，日常診断業務においては，簡便で一致率の高い評価方法が望ましい。

　標準化された染色方法や判定法が確立されていないため，連続変数であるKi67 LIのカットオフ値設定は困難である。したがって，施設内における十分量のデータを検討検証し，自施設内でカットオフ値を設定・運用することが勧められる。

　注1：測定部位，評価方法を施設ごとに一定にすることが推奨される。
　注2：画像解析装置や画像解析ソフトの利用，あるいは半定量法を用いることも可能である。

6．腫瘍浸潤リンパ球（tumor infiltrating lymphocytes；TILs）

　TILsは，腫瘍内や腫瘍胞巣に隣接する腫瘍周囲間質に浸潤あるいは集簇しているリンパ球や形質細胞のことである。そのうち，間質に浸潤するTILsの占有面積が，乳癌の予後因子や化学療法や免疫チェックポイント阻害薬の効果予測因子となる可能性があるとして注目されている。TILsの国際研究グループ（International Immuno-Oncology Biomarker Working Group）は，癌の手術標本，術前化学療法症例の治療前針生検検体と手術後の遺残癌，転移巣を対象として，腫瘍間質に占めるTILsの面積割合（％）を10％刻みで評価する方法を提唱している。TILsの臨床的意義は次第に明らかになりつつあるが，検査精度や閾値の問題などバイオマーカーとして評価はいまだ定まっておらず，現時点では検索は必須ではない。

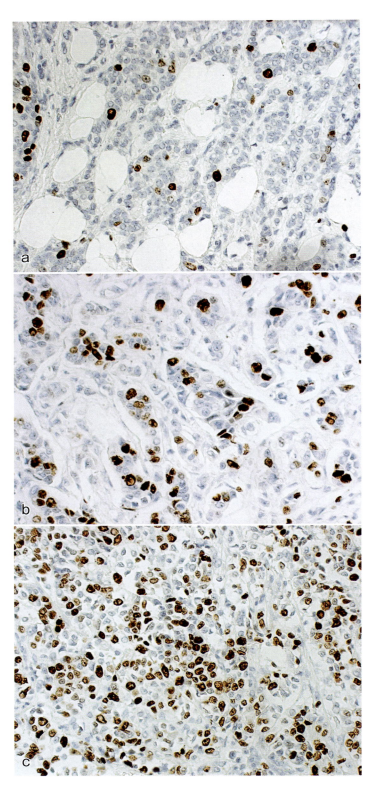

図4 Ki67の陽性所見
(a) 陽性細胞が10%程度に認められる。
(b) 陽性細胞が30%程度に認められる。
(c) 陽性細胞が50%以上に認められる。

【参考文献】

第4章 1. 検体の取扱い

1) 日本病理学会編．ゲノム研究用・診療用病理組織検体取扱い規程．2019，羊土社，東京．
2) 日本臨床細胞学会編．がんゲノム診療における細胞検体の取扱い指針．2021．https://jscc.or.jp/guideline/
3) Morii E, et al. Pathobiology. 2023；90 (5)：289-311.

第4章 2. ホルモン受容体

1) Umemura S, et al. Breast Cancer. 2006；13 (3)：232.
2) Hammond ME, et al. J Clin Oncol. 2010；28 (16)：2784-95.
3) Allison KH, et al. J Clin Oncol. 2020；38 (12)：1346-66.
4) Honma N, et al. Breast Cancer. 2024；31 (1)：8-15.

第4章 3. HER2

1) Wolff AC, et al. J Clin Oncol. 2018；36 (20)：2105-22.
2) 日本病理学会編．乳癌・胃癌HER2病理診断ガイドライン，第2版．2021，金原出版，東京．
3) Modi S, et al. N Engl J Med. 2022；387 (1)：9-20.
4) Wolff AC, et al. J Clin Oncol. 2023；41 (22)：3867-72.

第4章 4. PD-L1

1) Schmid P, et al. N Engl J Med. 2018；379 (22)：2108-21.
2) Cortes J, et al. N Engl J Med. 2022；387 (3)：217-26.

第4章 5. Ki67

1) Hida AI, et al. Breast Cancer. 2015；22 (2)：129-34.
2) Niikura N, et al. Breast Cancer. 2016；23 (1)：92-100.
3) Nielsen TO, et al. J Natl Cancer Inst. 2021；113 (7)：808-19.

第4章 6. TILs

1) Salgado R, et al. Ann Oncol. 2015；26 (2)：259-71.
2) Hendry S, et al. Adv Anat Pathol. 2017；24 (5)：235-51.
3) Denkert C, et al. Lancet Oncol. 2018；19 (1)：40-50.
4) Dieci MV, et al. Semin Cancer Biol. 2018；52 (Pt 2)：16-25.
5) Gonzalez-Ericsson PI, et al. J Pathol. 2020；250 (5)：667-84.

付表

表1. 乳癌においてゲノム異常が認められる主な遺伝子

	遺伝子名	遺伝子座	遺伝子分類 OG；がん遺伝子 TSG；がん抑制遺伝子	機能分類
1	AKT1	14q32.33	OG	腫瘍形成・増殖
2	ARID1A	1p36.11	TSG	エピジェネティック制御
3	ATM	11q22.3	TSG	ゲノム安定性の維持
4	BRCA1	17q21.31	TSG	ゲノム安定性の維持
5	BRCA2	13q13.1	TSG	ゲノム安定性の維持
6	CBFB	16q22.1	TSG	転写制御
7	CCND1 (Cyclin D1)	11q13.3	OG	細胞周期の進行
8	CDH1 (E-cadherin)	16q22.1	TSG	細胞間接着性の維持および細胞分化・増殖の制御
9	CDK4	12q14.1	OG	細胞周期の進行
10	CHEK2	22q12.1	TSG	ゲノム安定性の維持
11	ERBB2 (HER2)	17q12	OG	腫瘍形成・増殖
12	ESR1 (ER)	6q25.1	OG	腫瘍形成・増殖
13	FGFR1	8p11.23	OG	腫瘍形成・増殖
14	FOXA1	14q21.1	OG/TSG	クロマチン制御等
15	GATA3	10p14	OG/TSG	転写制御
16	GNAS	20q13.32	OG	腫瘍形成・増殖
17	KMT2C	7q36.1	TSG	エピジェネティック制御
18	KRAS	12p12.1	OG	腫瘍形成・増殖
19	MAP3K1	5q11.2	OG/TSG	腫瘍形成・増殖
20	MCL1	1q21.2	OG	アポトーシスの抑制
21	MYC	8q24.21	OG	腫瘍形成・増殖
22	NF1	17q11.2	TSG	腫瘍形成・増殖の抑制
23	PAK1	11q13.5	OG	腫瘍形成・増殖？
24	PALB2	16p12.2	TSG	ゲノム安定性の維持
25	PIK3CA	3q26.32	OG	腫瘍形成・増殖
26	PTEN	10q23.31	TSG	腫瘍形成・増殖
27	RARA	17q21.2	—	腫瘍形成・増殖
28	RB1	13q14.2	TSG	細胞周期の制御
29	RECQL4	8q24.3	TSG	ゲノム安定性の維持
30	RUNX1	21q22.12	TSG	転写制御
31	STK11	19p13.3	TSG	腫瘍形成・増殖
32	TBX3	12q24.21	TSG	転写制御
33	TP53	17p13.1	TSG	ゲノム安定性の維持

参考資料：
1) 日本版がんゲノムアトラス (https://www.jcga-scc.jp/ja)

2) Razavi P, et al, Cancer Cell. 2018；34：427-38.
3) Nik-Zainal S, et al, Nature. 2016；534 (7605)：47-54.
4) ATLAS of GENETICS and CYTOGENETICS in ONCOLOGY and HAEMATOLOGY (https://atlasgeneticsoncology.org/)

協力者：畑中豊（北海道大学病院）

表2．代表的な遺伝性乳癌の主な原因遺伝子

遺伝子名	遺伝子座	症候群
BRCA1	17q21.31	遺伝性乳癌卵巣癌
BRCA2	13q13.1	遺伝性乳癌卵巣癌
PALB2	16p12.2	PALB2関連癌
TP53	17p13.1	Li-Fraumeni症候群
PTEN	10q22.31	Cowden症候群
CHEK2	22q12.1	Li-Fraumeni亜型症候群
NF1	17q11.2	神経線維腫症
ATM	11q22.3	毛細血管拡張性失調症
CDH1	16q22.1	遺伝性びまん性胃癌
STK11	19p13.3	Peutz-Jeghers症候群

第5章　組織学的治療効果の判定基準

　乳癌に対して薬物療法（化学療法，内分泌療法，分子標的治療など）あるいは放射線療法を行った場合に，癌の治療感受性，薬物の種類，投与量，投与方法，放射線の質，線量，照射方法などと，治療期間，最終治療から癌切除までの期間に応じて，癌組織にさまざまな程度の変化がみられる。乳房内，腋窩病変それぞれの治療効果判定基準を下記のように定める。

1．日本乳癌学会の治療効果判定方法

a．乳房内病変の治療効果判定

　癌組織の変化の面積，変化の程度を組み合わせて，組織学的治療効果を判定する。

　治療前には必ず生検による組織診断を行い，効果判定に際しては，治療前と治療後の組織像の比較を行う必要がある。判定基準は原則として，乳房内の浸潤巣の変化のみに適応し，癌の非浸潤癌成分についてはその有無のみを記載する。したがって，非浸潤癌成分が残存していてもGrade 3と判定する。判定に苦慮する場合には効果の低いほうを選択する。

判定基準分類

　Grade 0　無効
　　浸潤癌組織に治療による変化がほとんど認められない場合
　Grade 1　やや有効
　　1a) 軽度の効果（図1）
　　　　浸潤癌組織に軽度の変化のみが認められる場合
　　　　約1/3未満の浸潤癌組織に高度の変化（癌消失後の変化を含む）が認められる場合
　　1b) 中等度の効果（図2）
　　　　約1/3以上2/3未満の浸潤癌組織に高度の変化（癌消失後の変化を含む）が認められる場合
　Grade 2　かなり有効
　　2a) 高度の効果（図3）
　　　　約2/3以上の浸潤癌組織に高度の変化（癌消失後の変化を含む）が認められる場合。ただし，浸潤癌の残存は明らかである。
　　2b) 極めて高度の効果（図4）
　　　　完全奏効（Grade 3）に非常に近い効果があるが，ごく少量の浸潤癌細胞が残存している

Grade 3　完全奏効（図5）
　　すべての浸潤癌細胞が壊死に陥っているか，または，消失した場合。組織に高度の変化が認められ，浸潤癌細胞が残存していない場合。

　　注1：軽度の変化とは，癌組織に癌細胞の密度の減少はみられず，残存している癌細胞の変性も生存し得ると判断される程度のものをいう。生存し得ると判断される程度の変性には，細胞質が好酸性で空胞形成があり，核の膨化像などが認められるものも含まれる。
　　注2：高度の変化とは，癌細胞に高度の変性所見を認めるもので，ほとんど生存し得ない程度の崩壊に傾いた変化（核濃縮，核崩壊，核融解）を指し，癌細胞の消失も含む。
　　注3：癌消失後の変化とは，線維化，壊死，肉芽腫様組織などを指す。
　　注4：変化の面積比は，術前療法前の画像検査などによる腫瘍の大きさや癌細胞が消失した跡と推測される範囲を考慮して算定する。残存した癌細胞量からは算定しない。
　　注5：治療後の生検材料（針生検，病巣の部分切除）では最終的な効果判定は行わず，個々の材料についての組織学的所見を記載するにとどめる。
　　注6：Grade 3 と判定する場合には多数切片での検索が望ましい。

変化の程度 変化の面積比	軽度の変化	高度の変化
1/3 未満	1a	1a
1/3 以上, 2/3 未満	1a	1b
2/3 以上	1a	2a, 2b*

浸潤癌成分の変化に基づいた効果判定基準（Grade 1, 2）を図式化すると左表のようになる。

*完全に浸潤癌成分が壊死に陥るか消失した場合は Grade 3 となる。

b. 腋窩病変の治療効果判定

　リンパ節転移の有無を評価する。また，リンパ節転移が消失したと思われる所見（薬物療法実施前には存在していたと推測されるリンパ節転移が治療により消失したと思われる所見）がある場合には，病理診断報告書にその事実を記述する。

［参考：Residual Cancer Burden（RCB）による治療効果判定方法］
　近年，世界的に広く採用され，国際標準になりつつある治療効果判定方法として，RCB がある。RCB は下記のデータに基づき算出する。
・腫瘍床（tumor bed）*の大きさ（2 方向の最大径）
・腫瘍床の中で残存している癌細胞（浸潤癌・非浸潤癌成分ともに）が占める面積割合
・腫瘍床における浸潤癌成分と非浸潤癌成分の割合
・転移のある腋窩リンパ節数と，そのうちの転移巣の最大径

*薬物療法実施前に癌が存在していた領域を指す。薬物療法後の切除標本における腫瘍床は，治療により癌が消失した部分（肉芽腫様組織や線維性瘢痕組織が多い）と癌が残存している部分を合わせた領域のこと。

　RCB は residual cancer burden calculator により算出することが可能である（https://www3.mdanderson.org/app/medcalc/index.cfm?pagename=jsconvert3）。また，RCB は，

RCB-0（病理学的完全奏効），RCB-I（最小の腫瘍残存），RCB-II（中等度の腫瘍残存），RCB-III（広範囲の腫瘍残存）の4つのカテゴリに分類される。

（参考文献）
1) Symmans WF, et al. J Clin Oncol. 2007；25（28）：4414-22.
2) Yau C, et al. Lancet Oncol. 2022；23（1）：149-60.

2．病理学的完全奏効（pathological complete response；pCR）

　術前薬物療法終了後，乳房の切除標本および採取した全領域リンパ節で残存浸潤癌がないこと，と定義する（非浸潤癌の残存があってもpCRとする）。なお，非浸潤癌の残存の有無については病理診断報告書に記載する。

　注：領域リンパ節にITCのみが残存する場合（ypN0（i＋））は，pCRとしない。

3．遺残癌による病期分類（ypTNM分類）

　病理学的病期分類（UICC pTNM分類）に準拠して，遺残癌の量を段階的に評価する方法である。遺残癌の有無および広がりで判定したpT因子やpN因子に，治療中・治療後であることを示す接頭辞"y"を付けて示す（例：ypT1b pN1mi, ypTis pN0）。なお，ypT因子は，遺残する最大浸潤巣の径で評価し，遺残癌全体の範囲では評価しない。

　注：病理学的病期分類（pTNM分類）については，第2部第2章（74頁）を参照のこと。

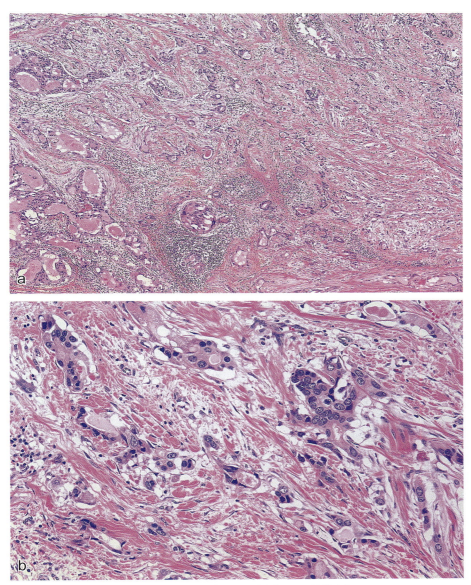

図 1　やや有効　軽度の効果（Grade 1a）a：弱拡大像　b：強拡大像
癌組織に癌細胞の密度の減少はみられない。残存している癌細胞の一部に核濃縮がみられるが，生存し得ると判断される程度の変性である。

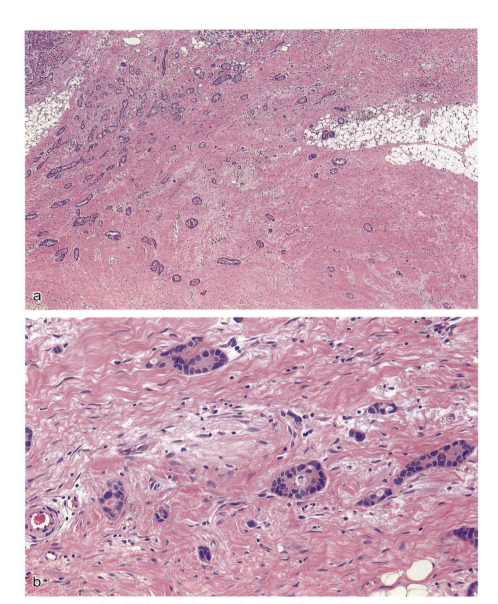

図2 やや有効 中等度の効果（Grade 1b）a：弱拡大像　b：強拡大像
線維組織の中の癌細胞の密度が不均一で，浸潤癌組織が間引きされるように消失したと推測される。残存している癌細胞の多くに核濃縮がみられるが，生存し得ると判断される程度の変性である。

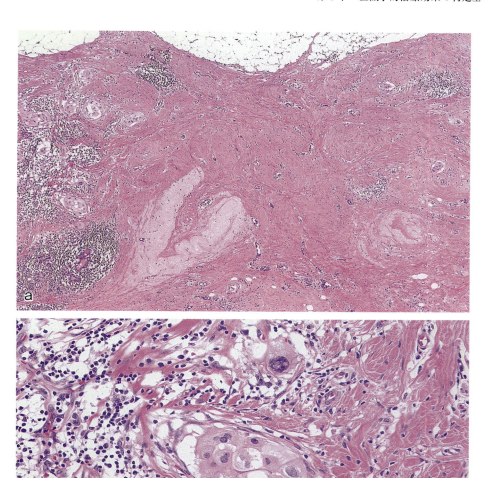

図3　かなり有効　高度の効果（Grade 2a）a：弱拡大像　b：強拡大像
病変中央部は線維組織に置き換わっており，浸潤癌組織が消失した跡と推測される。残存している癌細胞の細胞質は好酸性で，核の膨化像がみられる。

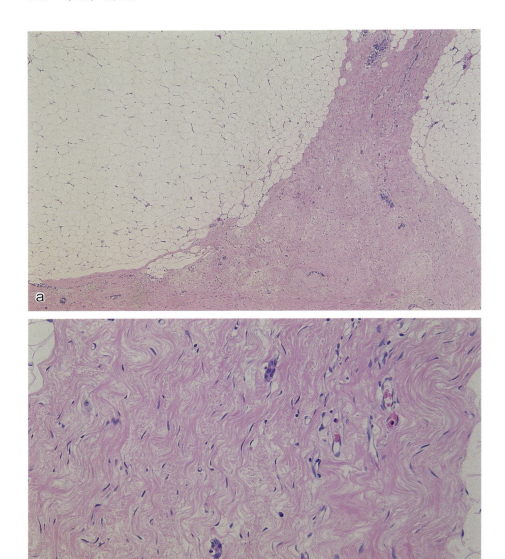

図4　かなり有効　極めて高度の効果（Grade 2b）a：弱拡大像　b：強拡大像
浸潤癌組織が消失した跡と推測される線維組織の中に，ごく少量の浸潤癌細胞が残存している。

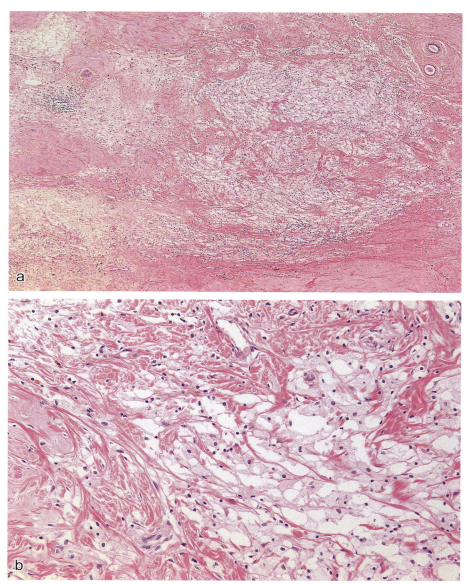

図5 完全奏効(Grade 3) a：弱拡大像　b：強拡大像
浸潤癌組織が消失した跡と推測される線維組織のみで，癌細胞は残存していない。

付. 切除検体の病理学的記載事項（チェックリスト）

項目	記載事項	参照頁
占居部位	A, B, C, D, C', E, E'	2
手術療法	乳房の術式＋リンパ節の切除範囲＋再建の有無	8〜9
組織型		24〜26
肉眼型	非腫瘤型，圧排型，浸潤型，混在型/分類不能型	74
大きさ		74, 76
浸潤径	最大径×直交する径（mm）	
浸潤径＋乳管内癌巣	最大径×直交する径（mm）	
病理学的 T 因子	pTX, pT0, pTis, pT1（mi, a, b, c), pT2, pT3, pT4（a, b, c, d) ypT＊（薬物療法後遺残の場合）	77
リンパ節転移の有無	部位，転移個数/検索リンパ節個数	78
病理学的 N 因子	pNX, pN0, pN1（mi, a, b, c), pN2（a, b), pN3（a, b, c) ypN＊（薬物療法後遺残の場合）	78, 79
センチネルリンパ節	pN＊（sn） ypN＊（sn）（薬物療法後遺残の場合）	79
断端の評価	最短断端の方向，距離（mm）	80
浸潤形態と間質量	充実，中間，硬性	80
非浸潤癌巣の種類と量	有無，種類，predominant intraductal component の有無	80
リンパ管侵襲	LyX, Ly0, Ly1	81
静脈侵襲	VX, V0, V1	81
組織学的波及度	g, f, s, p, w	82
病理学的グレード		82
組織学的グレード	Grade 1, 2, 3	82
核グレード	Grade 1, 2, 3	83
ホルモン受容体（いずれか）		97
陽性細胞の占有率	0〜100％	97
Allred score	TS（0, 2-8）＝PS（0-5）＋IS（0-3）	98
J-Score	Score 0, 1, 2, 3a, 3b	98
HER2		100
IHC 法	スコア 0, 1＋, 2＋, 3＋	101
ISH 法	方法（FISH 法，DISH 法），陽性・陰性 ※以下の事項についても記載することが望ましい． *HER2*/CEP17 比，1 細胞あたりの *HER2* 遺伝子平均コピー数，グループ（1〜5）	100, 101
Ki67 陽性率	0〜100％	105
組織学的治療効果判定	Grade 0, 1a, 1b, 2a, 2b, 3	110, 111

［記載例］
乳房部分切除術＋センチネルリンパ節生検例：
　右 C，Bp + SN
　Invasive ductal carcinoma
　肉眼：非腫瘤型
　浸潤径：4×3 mm，浸潤径＋乳管内癌巣：70×65 mm，pT1a
　リンパ節転移：センチネル，0/1，pN0（sn）
　断端までの距離：乳頭側，5 mm
　浸潤形態と間質量：中間
　非浸潤癌巣：有，DCIS，predominant intraductal component（＋）
　脈管侵襲：Ly0，V0
　組織学的波及度：g
　組織学的グレード：Grade 2 または核グレード：Grade 2
　ER：90%，Allred score 5＋3＝8，J-Score 3b
　PgR：50%，Allred score 4＋2＝6，J-Score 3b
　HER2：スコア 1＋
　Ki67 陽性率：10%

資料 TNM分類（UICC, 第8版, 2017）

Breast Tumours (ICD-O-3 C50)

Introductory Notes

The site is described under the following headings:

- Rules for classification with the procedures for assessing T, N, and M categories; additional methods may be used when they enhance the accuracy of appraisal before treatment
- Anatomical subsites
- Definition of the regional lymph nodes
- TNM clinical classification
- pTNM pathological classification
- G histopathological grading
- Stage
- Prognostic grid

Rules for Classification

The classification applies only to carcinomas and concerns the male as well as the female breast. There should be histological confirmation of the disease.

The anatomical subsite of origin should be recorded but is not considered in classification.

In the case of multiple simultaneous primary tumours in one breast, the tumour with the highest T category should be used for classification.

Simultaneous bilateral breast cancers should be classified independently to permit division of cases by histological type.

The following are the procedures for assessing T, N, and M categories:

T categories　Physical examination and imaging, e.g., mammography
N categories　Physical examination and imaging
M categories　Physical examination and imaging

Anatomical Subsites

1. Nipple (C50.0)
2. Central portion (C50.1)
3. Upper inner quadrant (C50.2)
4. Lower inner quadrant (C50.3)
5. Upper outer quadrant (C50.4)
6. Lower outer quadrant (C50.5)
7. Axillary tail (C50.6)

Regional Lymph Nodes

The regional lymph nodes are:

1. *Axillary* (ipsilateral): interpectoral (Rotter) nodes and lymph nodes along the axillary vein and its tributaries, which may be divided into the following levels:
    a) *Level I* (low-axilla): lymph nodes lateral to the lateral border of pectoralis minor muscle
    b) *Level II* (mid-axilla): lymph nodes between the medial and lateral borders of the pectoralis minor muscle and the interpectoral (Rotter) lymph nodes
    c) *Level III* (apical axilla): apical lymph nodes and those medial to the medial margin of the pectoralis minor muscle, excluding those designated as subclavicular or infraclavicular
2. *Infraclavicular* (*subclavicular*) (ipsilateral)
3. *Internal mammary* (ipsilateral): lymph nodes in the intercostal spaces along the edge of the sternum in the endothoracic fascia
4. *Supraclavicular* (ipsilateral)

Note

Intramammary lymph nodes are coded as axillary lymph nodes level I. Any other lymph node metastasis is coded as a distant metastasis (M1), including cervical or contralateral internal mammary lymph nodes.

TNM Clinical Classification

T-Primary Tumour

TX	Primary tumour cannot be assessed
T0	No evidence of primary tumour
Tis	Carcinoma in situ
Tis (DCIS)	Ductal carcinoma in situ
Tis (LCIS)	Lobular carcinoma in situ[a]
Tis (Paget)	Paget disease of the nipple not associated with invasive carcinoma and/or carcinoma *in situ* (DCIS and/or LCIS) in the underlying breast parenchyma. Carcinomas in the breast parenchyma associated with Paget disease are categorized based on the size and characteristics of the parenchymal disease, although the presence of Paget disease should still be noted.
T1	Tumour 2 cm or less in greatest dimension
T1mi	Microinvasion 0.1 cm or less in greatest dimension[b]
T1a	More than 0.1 cm but not more than 0.5 cm in greatest dimension
T1b	More than 0.5 cm but not more than 1 cm in greatest dimension
T1c	More than 1 cm but not more than 2 cm in greatest dimension
T2	Tumour more than 2 cm but not more than 5 cm in greatest dimension
T3	Tumour more than 5 cm in greatest dimension

T4   Tumour of any size with direct extension to chest wall and/or to skin (ulceration or skin nodules) [c]

    T4a   Extension to chest wall (does not include pectoralis muscle invasion only)

    T4b   Ulceration, ipsilateral satellite skin nodules, or skin oedema (including peau d'orange)

    T4c   Both 4a and 4b

    T4d   Inflammatory carcinoma [d]

Notes

[a] The AJCC exclude Tis (LCIS).

[b] Microinvasion is the extension of cancer cells beyond the basement membrane into the adjacent tissues with no focus more than 0.1 cm in greatest dimension. When there are multiple foci of microinvasion, the size of only the largest focus is used to classify the microinvasion. (Do not use the sum of all individual foci.) The presence of multiple foci of microinvasion should be noted, as it is with multiple larger invasive carcinomas.

[c] Invasion of the dermis alone does not qualify as T4. Chest wall includes ribs, intercostal muscles, and serratus anterior muscle but not pectoral muscle.

[d] Inflammatory carcinoma of the breast is characterized by diffuse, brawny induration of the skin with an erysipeloid edge, usually with no underlying mass. If the skin biopsy is negative and there is no localized measurable primary cancer, the T category is pTX when pathologically staging a clinical inflammatory carcinoma (T4d). Dimpling of the skin, nipple retraction, or other skin changes, except those in T4b and T4d, may occur in T1, T2, or T3 without affecting the classification.

N–Regional Lymph Nodes

NX   Regional lymph nodes cannot be assessed (e.g., previously removed)

N0   No regional lymph node metastasis

N1   Metastasis in movable ipsilateral level I, II axillary lymph node(s)

N2   Metastasis in ipsilateral level I, II axillary lymph node(s) that are clinically fixed or matted; or in clinically detected* ipsilateral internal mammary lymph node(s) in the absence of clinically evident axillary lymph node metastasis

    N2a   Metastasis in axillary lymph node(s) fixed to one another (matted) or to other structures

    N2b   Metastasis only in clinically detected* internal mammary lymph node(s) and in the absence of clinically detected axillary lymph node metastasis

N3   Metastasis in ipsilateral infraclavicular (level III axillary) lymph node(s) with or without level I, II axillary lymph node involvement; or in clinically detected* ipsilateral internal mammary lymph node(s) with clinically evident level I, II axillary lymph node metastasis; or metastasis in ipsilateral supraclavicular lymph node(s) with or without axillary or internal mammary lymph node involvement

    N3a   Metastasis in infraclavicular lymph node(s)

    N3b   Metastasis in internal mammary and axillary lymph nodes

N3c   Metastasis in supraclavicular lymph node (s)

Notes
* Clinically detected is defined as detected by clinical examination or by imaging studies (excluding lymphoscintigraphy) and having characteristics highly suspicious for malignancy or a presumed pathological macrometastasis based on fine needle aspiration biopsy with cytological examination. Confirmation of clinically detected metastatic disease by fine needle aspiration without excision biopsy is designated with a (f) suffix, e.g. cN3a (f).
  Excisional biopsy of a lymph node or biopsy of a sentinel node, in the absence of assignment of a pT, is classified as a clinical N, e.g., cN1. Pathological classification (pN) is used for excision or sentinel lymph node biopsy only in conjunction with a pathological T assignment.

M-Distant Metastasis
M0   No distant metastasis
M1   Distant metastasis

pTNM Pathological Classification
pT-Primary Tumour
The pathological classification requires the examination of the primary carcinoma with no gross tumour at the margins of resection. A case can be classified pT if there is only microscopic tumour in a margin.
  The pT categories correspond to the T categories.

Note
When classifying pT the tumour size is a measurement of the invasive component. If there is a large in situ component (e.g., 4 cm) and a small invasive component (e.g., 0.5 cm), the tumour is coded pT1a.

pN-Regional Lymph Nodes
The pathological classification requires the resection and examination of at least the low axillary lymph nodes (level I) (see page 104). Such a resection will ordinarily include 6 or more lymph nodes. If the lymph nodes are negative, but the number ordinarily examined is not met, classify as pN0.

pNX   Regional lymph nodes cannot be assessed (e.g., previously removed, or not removed for pathological study)
pN0   No regional lymph node metastasis*

Note
* Isolated tumour cell clusters (ITC) are single tumour cells or small clusters of cells not more than 0.2 mm in greatest extent that can be detected by routine H and E stains or immunohistochemistry. An additional criterion has been proposed to include a cluster of fewer than 200 cells in a single histological cross section. Nodes containing only ITCs are excluded from the total positive node count for purposes of N classification and should be included in the total number of nodes evaluated.

pN1 Micrometastases; or metastases in 1 to 3 axillary ipsilateral lymph nodes; and/or in internal mammary nodes with metastases detected by sentinel lymph node biopsy but not clinically detected*

    pN1mi Micrometastases (larger than 0.2 mm and/or more than 200 cells, but none larger than 2.0 mm)

    pN1a Metastasis in 1-3 axillary lymph node (s), including at least one larger than 2 mm in greatest dimension

    pN1b Internal mammary lymph nodes

    pN1c Metastasis in 1-3 axillary lymph nodes and internal mammary lymph nodes

pN2 Metastasis in 4-9 ipsilateral axillary lymph nodes, or in clinically detected* ipsilateral internal mammary lymph node (s) in the absence of axillary lymph node metastasis

    pN2a Metastasis in 4-9 axillary lymph nodes, including at least one that is larger than 2 mm

    pN2b Metastasis in clinically detected internal mammary lymph node (s), in the *absence* of axillary lymph node metastasis

pN3

    pN3a Metastasis in 10 or more ipsilateral axillary lymph nodes (at least one larger than 2 mm) *or* metastasis in infraclavicular lymph nodes

    pN3b Metastasis in clinically detected* internal ipsilateral mammary lymph node (s) in the *presence* of positive axillary lymph node (s); or metastasis in more than 3 axillary lymph nodes *and* in internal mammary lymph nodes with microscopic or macroscopic metastasis detected by sentinel lymph node biopsy but not clinically detected

    pN3c Metastasis in ipsilateral supraclavicular lymph node (s)

Post-treatment ypN:
- Post-treatment yp 'N' should be evaluated as for clinical (pretreatment) 'N' methods (see Section N-Regional Lymph Nodes). The modifier 'sn' is used only if a sentinel node evaluation was performed after treatment.
- If no subscript is attached, it is assumed the axillary nodal evaluation was by axillary node dissection.
- The X classification will be used (ypNX) if no yp post-treatment SN or axillary dissection was performed
- N categories are the same as those used for pN.

Notes
* *Clinically detected* is defined as detected by imaging studies (excluding lymphoscintigraphy) or by clinical examination and having characteristics highly suspicious for malignancy or a presumed

pathological macrometastasis based on fine needle aspiration biopsy with cytological examination.
Not clinically detected is defined as not detected by imaging studies (excluding lymphoscintigraphy) or not detected by clinical examination.

pM-Distant Metastasis *

pM1   Distant metastasis microscopically confirmed

Note
* pM0 and pMX are not valid categories.

G Histopathological Grading

For histopathological grading of invasive carcinoma the Nottingham Histological Score is recommended.[1]

Stage [a]

Stage	T	N	M
Stage 0	Tis	N0	M0
Stage IA	T1[b]	N0	M0
Stage IB	T0, T1	N1mi	M0
Stage IIA	T0, T1	N1	M0
	T2	N0	M0
Stage IIB	T2	N1	M0
	T3	N0	M0
Stage IIIA	T0, T1, T2	N2	M0
	T3	N1, N2	M0
Stage IIIB	T4	N0, N1, N2	M0
Stage IIIC	Any T	N3	M0
Stage IV	Any T	Any N	M1

Notes
[a] The AJCC also publish a prognostic group for breast tumours.
[b] T1 includes T1mi.

Prognostic Factors Grid-Breast
Prognostic factors for breast cancer

Prognostic factors	Tumour related	Host related	Environment related
Essential	ER HER2 receptor Histological grade Number and percentage of involved nodes Tumour size Presence of lymphatic or vascular invasion (LVI+) Surgical resection margin status	Age Menopausal status	Prior radiation involving the chest or mediastinum (e.g. for Hodgkin disease)
Additional	Progesterone receptor Tumour profiling UPA, PAI 1	*BRCA1* or *2* mutation Obesity	Use of postmenopausal hormone replacement therapy
New and promising	Ki 67	Level of activity or exercise Single nucleotide Polymorphisms (SNPs) associated with drug metabolism or action	

Source: UICC Manual of Clinical Oncology, Ninth Edition. Edited by Brian O'Sullivan, James D. Brierley, Anil K. D'Cruz, Martin F. Fey, Raphael Pollock, Jan B. Vermorken and Shao Hui Huang. © 2015 UICC. Published 2015 by John Wiley & Sons, Ltd.

Reference

1 Elston CW, Ellis IO. Pathological prognostic factors in breast cancer. I. The value of histological grade in breast cancer: experience from a large study with long-term follow-up. *Histopathology* 1991; 19: 403-410.

出典：TNM Classification of Malignant Tumours, Eighth Edition, edited by J.D. Brierley, M.K. Gospodarowicz and Ch. Wittekind. Copyright © 2017 UICC. Published by John Wiley & Sons, Ltd. Reproduced with permission of John Wiley & Sons, Ltd.

索 引

太字は図譜のページを表す

和文索引

あ

悪性腫瘍　29
悪性リンパ腫　37
圧排型　74
アポクリン化生　38, **64**
アポクリン癌　32, **55**
アポクリン腺腫　28
安定　17
安定期間　21

い

異型血管病変　36
異型小葉過形成　29, **44**
異型乳管過形成　28, **43**
遺残癌　112
異常乳頭分泌　3
異所性間葉系分化を伴う化生癌　33
遺伝性乳癌　109
異物肉芽腫　38
いわゆる乳腺症　37, **63**, **96**
インプラント　9

え

衛星皮膚結節　3
腋窩リンパ節　5, 10
腋窩リンパ節郭清　8
腋窩リンパ節サンプリング　8
えくぼ徴候　2
遠隔成績　12
遠隔転移　5
炎症性筋線維芽細胞腫瘍　36
炎症性病変　38, **65**
円柱状細胞病変　28

か

開花期腺症　38
潰瘍　3
核異型スコア　83, **85**
核グレード分類　83
核多形性スコア　82
確定　20

核分裂像スコア　82, 83
過誤腫　38, **65**
化生癌　32
割の入れ方　73
顆粒細胞腫　36, **62**
陥凹　2
汗管腫様腫瘍　28
間質肉腫　37
管周囲型　34, **95**
管状癌　32, **53**
管状腺腫　27, **41**
完全寛解期間　21
完全奏効　17
管内型　34, **95**
癌肉腫　35
鑑別困難　87, 93

き

偽血管腫様過形成　36
基質産生癌　33, **57**
胸壁　3, 10
極性反転を伴う高細胞癌　34
巨大線維腺腫　34
筋線維芽細胞腫　36

く

クラス分類　86
グレード分類　82

け

形質細胞腫　37
血管脂肪腫　36
血管腫　35
血管腫症　36
血管肉腫　36, **62**
結節性筋膜炎　35
ゲノム異常　108
検体不適正　87, 93
原発性血管肉腫　36, **62**
原発巣　4, 77

こ

硬化性腺症　38, **95**
効果判定基準　17
硬性パターン　80

広背筋皮弁　9
骨・軟骨化生を伴う癌　33, **58**
固定　74
混合型化生癌　33
混在型　74

さ

再建方法　9
再発　11
細胞診　86
最良総合効果　18
鎖骨上リンパ節　5, 10

し

脂肪壊死　38
脂肪腫　36
脂肪肉腫　36
若年性線維腺腫　34
充実型　**46**
充実乳頭癌　**69**
充実パターン　80
授乳性腺腫　27, **41**
腫瘍床　10
腫瘍浸潤リンパ球　105
腫瘍占居部位　2
腫瘍摘出術　8
照射条件　10
照射部位　10
上皮性腫瘍　27
上皮増殖症　37
静脈侵襲　81
小葉過形成　38
女性化乳房症　39, **66**
深下腹壁動脈穿通枝皮弁　9
神経鞘腫　36
神経線維腫　36
神経内分泌癌　34
進行　17
浸潤型　74
浸潤癌　30
浸潤形態　80
浸潤性充実乳頭癌　32, **54**
浸潤性小葉癌　31, **52**, **92**, **96**
浸潤性乳管癌　31, **49**, **91**, **96**
浸潤性乳頭癌　32

浸潤性微小乳頭癌　*32, 55*

す

髄外性白血病　*37*
髄様パターン　*51, 92*

せ

性状　*2*
切除標本　*73*
線維腫症　*62*
線維腫症様化生癌　*33, 56*
線維症　*38*
線維上皮性腫瘍　*34*
線維腺腫　*34, 59, 92, 95*
線維腺腫性過形成　*38*
腺管形成スコア　*82*
腺筋上皮腫　*27, 42*
前駆病変　*28*
腺脂肪腫　*38*
腺症　*38, 63*
全生存期間　*12, 21*
センチネルリンパ節　*79*
センチネルリンパ節生検　*8*
全乳房　*10*
腺房細胞癌　*34*
腺様嚢胞癌　*33, 58*

そ

早期乳癌　*6*
造血器腫瘍　*37*
奏効期間　*20*
総合効果判定　*18*
奏効率　*20*
組織拡張器　*9*
組織学的グレード分類　*82*
組織学的波及度　*82*
組織学的分類　*24*

た

第Ⅱ相試験　*21, 22*
第Ⅲ相試験　*21, 22*
大腿深動脈穿通枝皮弁　*9*
唾液腺型腫瘍　*28*
多形腺癌　*34*
多形腺腫　*28*
断端評価　*80*

ち

中間パターン　*80*

治療継続期間　*21*
治療効果判定基準　*13, 110*
治療症例数　*11*

つ

通常型乳管過形成　*37, 95*

て

低異型度腺扁平上皮癌　*33, 55*
デスモイド線維腫症　*36*
転移性腫瘍　*37*

と

特殊型　*31*

な

内胸リンパ節　*5, 10*
軟部腫瘍　*35*

に

肉芽腫性病変　*65*
肉眼型分類　*74*
肉芽腫性病変　*38*
二次性血管肉腫　*36, 63*
乳管拡張症　*38, 66*
乳管過形成　*63*
乳管癌　*89*
乳管腺腫　*27, 41*
乳管腺葉区域切除術　*8*
乳管内乳頭腫　*27, 40, 89*
乳腺炎　*38*
乳腺症　*64*
乳腺症型　*34, 95*
乳腺線維症　*39, 66*
乳頭温存乳房全切除術　*8*
乳頭型　*46*
乳頭陥凹　*3*
乳頭状腫瘍　*68*
乳頭部湿疹　*3*
乳頭部腺腫　*28, 42*
乳頭部びらん　*3*
乳房全切除術　*8*
乳房部分切除術　*8*

ね

粘液癌　*32, 54, 92*
粘液嚢胞腺癌　*34*
粘液瘤様病変　*39*
粘表皮癌　*34*

の

嚢胞　*38*
膿瘍　*38*

は

バイオマーカー検索　*97*
パパニコロウ分類　*86*
針生検　*93*

ひ

非腫瘤型　*74*
微小浸潤癌　*31, 49*
微小腺管腺症　*38*
微小転移　*78*
微小乳頭型　*46*
非浸潤癌　*29*
非浸潤性充実乳頭癌　*30, 47*
非浸潤性小葉癌　*29, 44*
非浸潤性乳管癌　*29, 45, 96*
皮膚温存乳房全切除術　*8*
皮膚固定　*2*
皮膚付属器型腫瘍　*28*
被包型乳頭癌　*30, 47, 69*
病期分類　*3*
病理学的完全奏効　*112*
病理学的記載事項　*118*
病理学的グレード分類　*82*
病理学的病期分類　*74*

ふ

複合型　*34, 95*
腹直筋皮弁　*9*
副乳　*39, 67*
浮腫　*3*
部分奏効　*17*
篩状型　*45*
篩状癌　*32, 53*
分泌癌　*33, 59*
分類不能型　*74*

へ

平滑筋腫　*36*
平滑筋肉腫　*36*
閉塞性腺症　*38*
平坦型上皮異型　*28, 43*
ベースライン評価　*16*
扁平上皮癌　*33, 57*

ほ

報告様式 *86*
放射状瘢痕/複雑型硬化性病変 *38*, **64**
放射線照射後血管肉腫 *36*
紡錘形細胞腫瘍 *36*
紡錘細胞癌 *33*, **56**
ホルモン受容体 *97*

み

脈管侵襲 *81*

む

無イベント生存期間 *12*
無再発生存期間 *12*
無浸潤疾患生存期間 *12*
無増悪期間 *21*
無増悪生存期間 *12*, *21*
無増悪生存割合 *21*
無病生存期間 *12*

め

面皰型 **46**

ゆ

遊離腫瘍細胞 *79*

よ

葉状腫瘍 *35*, **60**

ら

ラジオ波焼灼術 *8*

り

領域リンパ節 *5*, *7*
良性腫瘍 *27*
臨床所見 *2*
臨床的有用率 *20*
臨床病期分類 *6*
リンパ管侵襲 *81*
リンパ腫 *37*
リンパ節転移 *78*
リンパ浮腫随伴血管肉腫 *36*

る

類臓器型 *34*

れ

レベル区分 *7*

欧文索引

A

abscess *38*
accessory mammary gland *39*
acinic cell carcinoma *34*
adenoid cystic carcinoma *33*
adenolipoma *38*
adenomyoepithelioma *27*
adenosis *38*
ADH *28*
ALH *28*
Allred score *98*
angiolipoma *36*
angiomatosis *36*
angiosarcoma *36*
angiosarcoma associated with lymphedema *36*
apocrine adenoma *28*
apocrine carcinoma *32*
apocrine metaplasia *38*
atypical ductal hyperplasia *28*
atypical lobular hyperplasia *29*
atypical vascular lesions *36*
Ax *8*, *10*
AxS *8*

B

benign tumors *27*
blunt duct adenosis *38*
Bp *8*
Bt *8*, *10*

C

carcinoma with osseous/cartilaginous differentiation *33*
carcinomas *29*
carcinosarcoma *35*
chromogenic in situ hybridization (CISH) 法 *100*
clinical benefit rate *20*
complete response *17*
complex type *34*
confirmation *20*
CR *17*
cribriform carcinoma *32*
Cw *10*
cyst *38*

D

delle *2*
desmoid fibromatosis *36*
DFS *12*
DIEP *9*
dimpling sign *2*
disease-free survival *12*
dual color in situ hybridization (DISH) 法 *100*
duct ectasia *38*
ductal adenoma *27*
ductal carcinoma in situ *29*
duration of complete response *21*
duration of response *20*
duration of stable disease *21*

E

EFS *12*
encapsulated papillary carcinoma *30*
epithelial tumors *27*
epitheliosis *37*
ER *97*
event-free survival *12*
extramedullary leukemia *37*

F

fat necrosis *38*
FEA *28*
fibroadenoma *34*
fibroadenomatous hyperplasia *38*
fibrocystic breast changes *37*
fibroepithelial tumors *34*
fibromatosis-like metaplastic carcinoma *33*

fibrosis *38*
fibrous disease *39*
flat epithelial atypia *28*
florid adenosis *38*
fluorescence *in situ* hybridization（FISH）法 *100*
fTRAM *9*

G

giant fibroadenoma *34*
granular cell tumor *36*
granulomatous lesion *38*
gynecomastia *39*

H

hamartoma *38*
hemangioma *35*
hematolymphoid tumors *37*
HER2 *100*
HER2 低発現 *103*

I

IAC YOKOHAMA System *88*
IDFS *12*
Im *8, 10*
inflammatory lesions *38*
inflammatory myofibroblastic tumor *36*
intracanalicular type *34*
intraductal papilloma *27*
invasive breast carcinoma of no special type *31*
invasive carcinomas *30*
invasive disease-free survival *12*
invasive ductal carcinoma *31*
invasive lobular carcinoma *31*
invasive micropapillary carcinoma *32*
invasive papillary carcinoma *32*
invasive solid papillary carcinoma *32*
ISH 法 *100*
isolated tumor cell *79*
ITC *79*

J

J-Score *98*
juvenile fibroadenoma *34*

K

Ki67 *105*

L

lactating adenoma *27*
LD *9*
leiomyoma *36*
leiomyosarcoma *36*
lipoma *36*
liposarcoma *36*
lobular carcinoma in situ *29*
lobular hyperplasia *38*
Long SD *21*
low-grade adenosquamous carcinoma *33*
lumpectomy *8*

M

M 因子 *5, 80*
malignant lymphoma *37*
malignant tumors *29*
mastitis *38*
mastopathic type *34*
matrix-producing carcinoma *33*
Md *8*
metaplastic carcinoma *32*
metaplastic carcinoma with heterologous mesenchymal differentiation *33*
metastatic tumors *37*
microdochectomy *8*
microglandular adenosis *38*
microinvasive carcinoma *31*
mixed metaplastic carcinoma *33*
mucinous carcinoma *32*
mucinous cystadeocarcinoma *34*
mucocele-like lesion *39*
mucoepidermoid carcinoma *34*
myofibroblastoma *36*

N

N 因子 *5, 78*
neuroendocrine carcinoma *34*
neurofibroma *36*
nipple adenoma *28*
nipple sparing mastectomy *8*
nodular fasciitis *35*
non-invasive carcinomas *29*
non-invasive ductal carcinoma *30*
NSM *8*

O

organoid type *34*
OS *12*
overall survival *12*
overall survival time *21*

P

Paget disease *30*
Paget 病 *30*, **48**
PAP *9*
partial mastectomy *8*
partial response *17*
pathological complete response *112*
pCR *112*
PD *17*
PD-L1 *103*
peau d'orange *3*
pericanalicular type *34*
PFS *12*
PgR *97*
phyllodes tumor *35*
plasmacytoma *37*
pleomorphic adenoma *28*
polymorphous adenocarcinoma *34*
postradiation angiosarcoma *36*
PR *17*
primary angiosarcoma *36*
progression-free survival *12, 21*
progressive disease *17*
proportion progression-free *21*

pseudoangiomatous stromal
　　hyperplasia　36
pTRAM　9

■■■■■ R ■■■■■

radial scar/complex sclerosing
　　lesion　38
radiofrequency ablation　8
RCB　111
RECIST　13
relapse-free survival　12
Residual Cancer Burden　111
response rate　20
RFA　8
RFS　12

■■■■■ S ■■■■■

SBI　9
Sc　10
schwannoma　36
sclerosing adenosis　38
SD　17
secondary angiosarcoma　36
secretory carcinoma　33
skin sparing mastectomy　8
SN　8
so-called mastopathy　37
soft tissue tumors　35
solid papillary carcinoma in
　　situ　30
special types　31
spindle cell carcinoma　33
squamous cell carcinoma　33
SSM　8
stable disease　17
Stage 分類　3, 6
Stewart-Treves 症候群　36
stromal sarcoma　37
syringomatous tumor　28

■■■■■ T ■■■■■

T 因子　4, 77
TAD　9
tailored axillary surgery　9
tall cell carcinoma with
　　reversed polarity　34
targeted axillary dissection　9
TAS　9
Tb　10
TE　9
TILs　105
time to progression　21
time to treatment failure　21
tissue expander　9
Tm　8
total mastectomy　8
tubular adenoma　27
tubular carcinoma　32
tumor infiltrating lymphocytes
　　105
tumorectomy　8

■■■■■ U ■■■■■

usual ductal hyperplasia　37

■■■■■ W ■■■■■

WHO 分類　70

■■■■■ Y ■■■■■

ypTNM 分類　112

臨床・病理
乳癌取扱い規約 第19版

1967年11月30日	第 1 版発行
1971年 6月10日	第 2 版発行
1973年 4月30日	第 3 版発行
1976年 4月30日	第 4 版発行
1980年 1月31日	第 5 版発行
1982年 5月20日	第 6 版発行
1984年11月30日	第 7 版発行
1986年 5月31日	第 8 版発行
1988年 6月30日	第 9 版発行
1989年10月10日	第10版発行
1992年 9月30日	第11版発行
1996年 6月20日	第12版発行
1998年 9月 1日	第13版発行
2000年 9月29日	第14版発行
2004年 5月20日	第15版発行
2008年 9月20日	第16版発行
2012年 6月28日	第17版発行
2018年 5月16日	第18版発行
2025年 6月20日	第19版第1刷発行

編　者　一般社団法人 日本乳癌学会

発行者　福村　直樹

発行所　金原出版株式会社
　　　　〒113-0034 東京都文京区湯島2-31-14
　　　　電話　編集　（03）3811-7162
　　　　　　　営業　（03）3811-7184
　　　　FAX　　　　（03）3813-0288
　　　　振替口座　00120-4-151494
　　　　http://www.kanehara-shuppan.co.jp/

Ⓒ日本乳癌学会, 1967, 2025

検印省略

Printed in Japan

ISBN 978-4-307-20472-9

印刷・製本／㈱真興社

|JCOPY| ＜出版者著作権管理機構 委託出版物＞

本書の無断複製は著作権法上での例外を除き禁じられています。複製される場合は，そのつど事前に，出版者著作権管理機構（電話 03-5244-5088, FAX 03-5244-5089, e-mail：info@jcopy.or.jp）の許諾を得てください。

小社は捺印または貼付紙をもって定価を変更致しません。
乱丁，落丁のものはお買上げ書店または小社にてお取り替え致します。

WEBアンケートにご協力ください

読者アンケート（所要時間約3分）にご協力いただいた方の中から抽選で毎月10名の方に図書カード1,000円分を贈呈いたします。

アンケート回答はこちらから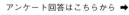

https://forms.gle/U6Pa7JzJGfrvaDof8

定評ある 金原出版の診療ガイドライン

2025.6

肺癌診療ガイドライン
―悪性胸膜中皮腫・胸腺腫瘍含む―
日本肺癌学会 編　　2024年版【第8版】
◆B5判　624頁　◆定価5,940円（本体5,400円+税10%）

胃癌治療ガイドライン
日本胃癌学会 編　医師用 2025年版【第7版】
◆B5判　224頁　◆定価2,530円（本体2,300円+税10%）

大腸癌治療ガイドライン
大腸癌研究会 編　　医師用 2024年版
◆B5判　188頁　◆定価2,750円（本体2,500円+税10%）

遺伝性大腸癌診療ガイドライン
大腸癌研究会 編　　2024年版
◆B5判　184頁　◆定価2,970円（本体2,700円+税10%）

炎症性腸疾患関連消化管腫瘍 診療ガイドライン　2024年版
大腸癌研究会 編
◆B5判　152頁　◆定価3,850円（本体3,500円+税10%）

鼠径部ヘルニア診療ガイドライン
日本ヘルニア学会ガイドライン作成検討委員会 編　2024年版【第2版】
◆B5判　144頁　◆定価3,630円（本体3,300円+税10%）

腹膜播種診療ガイドライン
日本腹膜播種研究会 編　　2021年版
◆B5判　212頁　◆定価3,300円（本体3,000円+税10%）

遺伝性乳癌卵巣癌（HBOC）診療ガイドライン 2024年版【第3版】
日本遺伝性乳癌卵巣癌総合診療制度機構 編
◆B5判　344頁　◆定価4,180円（本体3,800円+税10%）

頭頸部癌診療ガイドライン
日本頭頸部癌学会 編　　2025年版
◆B5判　320頁　◆定価4,620円（本体4,200円+税10%）

乳癌診療ガイドライン
日本乳癌学会 編　　2022年版
① 治療編　　◆B5判　512頁　◆定価6,050円（本体5,500円+税10%）
② 疫学・診断編　◆B5判　408頁　◆定価4,950円（本体4,500円+税10%）

リンパ浮腫診療ガイドライン
日本リンパ浮腫学会 編　　2024年版【第4版】
◆B5判　124頁　◆定価2,640円（本体2,400円+税10%）

子宮頸癌治療ガイドライン
日本婦人科腫瘍学会 編　　2022年版
◆B5判　224頁　◆定価3,740円（本体3,400円+税10%）

子宮体がん治療ガイドライン
日本婦人科腫瘍学会 編　　2023年版
◆B5判　240頁　◆定価3,740円（本体3,400円+税10%）

小児・AYA世代がん患者等の 妊孕性温存に関する診療ガイドライン
日本癌治療学会 編　　2024年版【第2版】
◆B5判　576頁　◆定価7,150円（本体6,500円+税10%）

脳腫瘍診療ガイドライン 成人脳腫瘍編
日本脳腫瘍学会 編　　2024年版【第3版】
◆B5判　264頁　◆定価4,620円（本体4,000円+税10%）

脳腫瘍診療ガイドライン 小児脳腫瘍編
日本脳腫瘍学会 編　　2022年版
◆B5判　272頁　◆定価4,400円（本体4,000円+税10%）

がん免疫療法ガイドライン
日本臨床腫瘍学会 編　　【第3版】
◆B5判　264頁　◆定価3,300円（本体3,000円+税10%）

造血器腫瘍診療ガイドライン
日本血液学会 編　　2023年版
◆B5判　504頁　◆定価6,050円（本体5,500円+税10%）

科学的根拠に基づく 皮膚悪性腫瘍診療ガイドライン
日本皮膚科学会／日本皮膚悪性腫瘍学会 編　【第3版】
◆B5判　384頁　◆定価7,150円（本体6,500円+税10%）

精巣癌診療ガイドライン
日本泌尿器科学会 編　　2024年版【第3版】
◆B5判　192頁　◆定価3,960円（本体3,600円+税10%）

制吐薬適正使用ガイドライン
日本癌治療学会 編　2023年10月改訂【第3版】
◆B5判　208頁　◆定価3,080円（本体2,800円+税10%）

がん薬物療法に伴う血管外漏出に関する合同ガイドライン　2023年版
【外来がん化学療法看護ガイドライン1：改訂・改題】
日本がん看護学会／日本臨床腫瘍学会／日本臨床腫瘍薬学会 編
◆B5判　152頁　◆定価2,420円（本体2,200円+税10%）

金原出版　〒113-0034 東京都文京区湯島2-31-14　TEL03-3811-7184（営業部直通）FAX03-3813-0288
本の詳細、ご注文等はこちらから▶ https://www.kanehara-shuppan.co.jp/

最新情報 金原出版【取扱い規約】

2025.6

書名	版	編者	価格
癌取扱い規約 －抜粋－ 消化器癌・乳癌	第14版	金原出版 編集部 編	定価4,400円（本体4,000円＋税10％）
婦人科がん取扱い規約　抜粋	第3版	日本産科婦人科学会/日本病理学会 日本医学放射線学会/日本放射線腫瘍学会 編	定価4,620円（本体4,200円＋税10％）
肺癌・中皮腫瘍・頭頸部癌・甲状腺癌取扱い規約 －抜粋－	第5版	金原出版 編集部 編	定価3,960円（本体3,600円＋税10％）
領域横断的がん取扱い規約	第1版	日本癌治療学会 日本病理学会 編	定価9,350円（本体8,500円＋税10％）
臨床病理 食道癌取扱い規約	第12版	日本食道学会 編	定価4,400円（本体4,000円＋税10％）
食道アカラシア取扱い規約	第4版	日本食道学会 編	定価2,200円（本体2,000円＋税10％）
胃癌取扱い規約	第15版	日本胃癌学会 編	定価4,180円（本体3,800円＋税10％）
大腸癌取扱い規約	第9版	大腸癌研究会 編	定価4,180円（本体3,800円＋税10％）
門脈圧亢進症取扱い規約	第4版	日本門脈圧亢進症学会 編	定価7,480円（本体6,800円＋税10％）
臨床病理 原発性肝癌取扱い規約	第6版補訂版	日本肝癌研究会 編	定価3,850円（本体3,500円＋税10％）
臨床病理 胆道癌取扱い規約	第7版	日本肝胆膵外科学会 編	定価4,290円（本体3,900円＋税10％）
膵癌取扱い規約	第8版	日本膵臓学会 編	定価4,400円（本体4,000円＋税10％）
臨床病理 脳腫瘍取扱い規約	第5版	日本脳神経外科学会 日本病理学会 編	定価13,200円（本体12,000円＋税10％）
頭頸部癌取扱い規約	第6版補訂版	日本頭頸部癌学会 編	定価3,960円（本体3,600円＋税10％）
甲状腺癌取扱い規約	第9版	日本内分泌外科学会 日本甲状腺病理学会 編	定価3,850円（本体3,500円＋税10％）
臨床病理 肺癌取扱い規約	第9版	日本肺癌学会 編	定価7,920円（本体7,200円＋税10％）
中皮腫瘍取扱い規約	第2版	日本石綿・中皮腫学会 日本肺癌学会 編	定価4,950円（本体4,500円＋税10％）
臨床病理 乳癌取扱い規約	第19版	日本乳癌学会 編	定価4,840円（本体4,400円＋税10％）
皮膚悪性腫瘍取扱い規約	第2版	日本皮膚悪性腫瘍学会 編	定価7,700円（本体7,000円＋税10％）
整形外科病理 悪性骨腫瘍取扱い規約	第4版	日本整形外科学会 日本病理学会 編	定価7,700円（本体7,000円＋税10％）
悪性軟部腫瘍取扱い規約	第4版	日本整形外科学会 日本病理学会 編	定価7,480円（本体6,800円＋税10％）
子宮頸癌取扱い規約【臨床編】	第4版	日本産科婦人科学会/日本病理学会 日本医学放射線学会/日本放射線腫瘍学会 編	定価4,400円（本体4,000円＋税10％）
子宮頸癌取扱い規約【病理編】	第5版	日本産科婦人科学会 日本病理学会 編	定価4,950円（本体4,500円＋税10％）
子宮体癌取扱い規約【病理編】	第5版	日本産科婦人科学会 日本病理学会 編	定価4,950円（本体4,500円＋税10％）
卵巣腫瘍・卵管癌・腹膜癌取扱い規約【臨床編】	第1版補訂版	日本産科婦人科学会 日本病理学会 編	定価2,750円（本体2,500円＋税10％）
卵巣腫瘍・卵管癌・腹膜癌取扱い規約【病理編】	第2版	日本産科婦人科学会 日本病理学会 編	定価7,150円（本体6,500円＋税10％）
子宮内膜症取扱い規約　第2部【診療編】	第3版	日本産科婦人科学会 編	定価4,950円（本体4,500円＋税10％）
絨毛性疾患取扱い規約	第3版	日本産科婦人科学会 日本病理学会 編	定価4,400円（本体4,000円＋税10％）
腎生検病理診断取扱い規約	第1版	日本腎病理協会 日本腎臓学会腎病理標準化委員会 編	定価4,400円（本体4,000円＋税10％）
副腎腫瘍取扱い規約	第3版	日本泌尿器科学会 日本病理学会/他 編	定価4,400円（本体4,000円＋税10％）
精巣腫瘍取扱い規約	第4版	日本泌尿器科学会 日本病理学会/他 編	定価4,400円（本体4,000円＋税10％）
口腔癌取扱い規約	第2版	日本口腔腫瘍学会 編	定価4,180円（本体3,800円＋税10％）
造血器腫瘍取扱い規約	第1版	日本血液学会 日本リンパ網内系学会 編	定価6,160円（本体5,600円＋税10％）

金原出版　〒113-0034 東京都文京区湯島2-31-14　TEL03-3811-7184（営業部直通）　FAX03-3813-0288

本の詳細、ご注文等はこちらから　https://www.kanehara-shuppan.co.jp/